SHONAN BOOK ISSUE 03

Ishihara Hirokazu
Tachi Koki
Tanaka Satoshi

鼎談 **石原広教 × 舘 幸希 × 田中 聡**

感謝の気持ち

最終ラインで守備を統率するキャプテン石原広教、
対人の強さが際立ち攻撃参加も得意とする舘幸希、
センターバックだけでなくボランチも務める田中聡。
ずば抜けた身体能力を誇る3人が現在の心境を語った。

取材・文=隈元大吾　Words by Kumamoto Daigo
写真=兼子愼一郎、木村善仁（8PHOTO）、大西 徹
Photography by Kaneko Shin-ichiro, Kimura Yoshihito（8PHOTO）, Onishi Toru

プレスをかけて相手を脅かすことができた

――早速ですが、それぞれのプレーの長所をお互いに褒め合ってください。

舘　聡のいいところは恐れがないことですね。攻撃も守備もどんどん向かっていくし、積極性の中にも球際の強さやテクニックといった裏付けがある。そこは彼のいいところですし、ボールを奪えて、前に運べる強さは、チームの中でも一番と言えるぐらい激しいと思います。

石原　舘くんが言ったまんまですね（笑）。聡は球際の強さを含めてボールを取られないところがすごい。相手に囲まれても取られないし、ちょっと不利な状態からでも自分が有利な状態に持っていける。ただ、（スタミナが）持たないんですよ（笑）。

田中　今は褒めてください（笑）。

石原　あ、課題はまだか（笑）。聡も舘くんもボールを失うことがほぼないので、僕が一つ運んで詰まりそうな時は預けられるし、もう1回自分がサポートに入って逆サイドに展開する時間もつくってくれる。迷いなく預けられるのはすごくありがたいですね。

――では舘選手についてはいかがですか？

田中　相手がプレッシャーに来ても剥がせるし、対人で負けない。この身長と言ったらあれですけど（笑）、ヘディングも強い。川崎戦でもレアンドロ ダミアン選手に空中戦で勝ってましたよね？　あとパフォーマンスにまったく波がない。だから短所があまり見当たらないというか、すべてのプレーを平均以上にできるので、すごいなと思います。相手を一人剥がした時とか、逆サイドで見ていて、落ち着いてるなあって感じます。

石原　そうだね。さっき聡の時も言ったけど、安心してボールを預けられる。たまに変なミスをします

DF #3
Ishihara Hirokazu

攻撃のサポートをもっと突き詰めたい

けど（笑）。

舘　（笑）

石原　でも失点に直結するようなミスではないし、信頼感はすごくある。聡が言ったように、空中戦や対人守備が強いので、カバーに入らなくても任せられる。その意味では、今チームの中で一番信頼感がありますね。

――と言われていますが、舘選手から見て石原選手のいいところは？

舘　今、信頼感と言ってくれたんですけど、広教が真ん中にどっしり構えてくれているおかげで僕たちは積極的に前に強く行ける。その点、広教が一番信頼感があるし、カバーリング能力もものすごく長けていると思いますね。アジリティーやスピードがあって、カバーリングの範囲が広いので、僕がチャレンジしてボールが後ろにこぼれた時や裏を取られてしまった時も必ず助けてくれる。自分たちが安心して前に行けるのは、広教のパフォーマンスがあるからだと思います。

石原　ありがとうございます（笑）。

田中　守備のことは舘くんが全部言ってくれました。広教くんが真ん中にいることで自分たちは思い切ってやれるし、試合中こまめに声も掛けてくれる。カバーリングや対人の強さはJリーグの中でもトップクラスだと、近くでやっていて一番感じるところです。攻撃でも、運んだり散らしたり、チャンスになるボールを蹴っている。ロングフィードもすごくうまいので、参考にしているし、自分もやらなければいけないと思っています。

石原　ありがとうございました（笑）。

――先ほど話に出た第16節川崎戦は1-1で引き分けました。リーグ随一の攻撃力を誇る首位チームを1失点に抑えた守備の手応えはいかがですか？

舘　後半相手の前線が3枚代わって少し押し込まれる部分はありましたが、それまでは前からプレッシャーをかけてボールを奪うシーンが何回かあった。首位の川崎だからといって引かずに自分たちの良さを出して戦えたと思います。

田中　僕は久しぶりのアンカーで、自分のことで精いっぱいになっていたんですけど、周りの選手がサポートしてくれたり、声を掛けてくれたり、チームのみんながカバーしてくれたので、最低限のプレーはできたのかなと思います。

石原　聡が前に出たり、両脇の舘くんとカズくん（大野和成）が前に出たり、ワイドの選手が相手のサイドバックにアタックしたり、チームとして立ち上がりから怯むことなくプレスをかけて、受け身にならずに自分たちからアクションを起こして挑めたことが、相手を多少圧倒できた理由の一つかなと思います。プレスをかけて相手を脅かすことができたのは良かったし、それが湘南らしさだと思う。ただ、レアンドロ ダミアン選手や三笘（薫）選手が入ってから受け身になってしまう時間帯があった。そこでもう一度ギアを上げて走力を高めないと後手を踏む時間が増えてしまうので、90分を通して強度を上げて戦えたらよかったかなと思います。

細かく動ける自分たちの強みを生かす

――思えば、3人が初めて3バックを組んだのは昨年

石原広教（いしはらひろかず）
1999年2月26日生まれ、神奈川県藤沢市出身。169cm、65kg
藤沢FC ▶ 湘南ベルマーレジュニア ▶ 湘南ベルマーレU-15平塚 ▶
湘南ベルマーレユース ▶ 湘南ベルマーレ ▶ アビスパ福岡 ▶
湘南ベルマーレ　※2016年湘南ベルマーレトップチーム登録

僕たちには走力やスプリント力がある

9月のホーム川崎戦でした。当時を振り返ると、守備の手応えは増していますか?

石原 あの試合は僕自身も3バックの真ん中でプレーするのが初めてだったので、勢い任せのところもありましたが、今は去年から続けているぶん、考えながらプレーできている。周りとコミュニケーションも取れているし、両脇の選手や前の選手に声を掛けて、自分の思うように守れているので、守備力は確実に上がっていると思います。

舘 去年の川崎戦の時、僕はまだ数試合しか経験していなくて、無我夢中にやるしかない状況でした。今は、どういうプレーをするか、お互いの特徴がはっきり分かっているし、呼吸も合ってきている。ヒロがラインを統率してくれて、やりやすさを感じていますし、連係は日に日に良くなっていると思います。

田中 去年は初めてDFをやって、何も分からないぶん、何も考えずに思い切りできていました。それは良かった部分でもあると思いますが、今年は戦術やポジションを考えながらプレーして、新しいチャレンジができている。去年と今年、どちらの経験も自分の力になっていると思います。

──身長では分が悪い3人のディフェンスラインですが、空中戦ではやられていません。何か秘訣があるのでしょうか?

石原 俺は相手より先に跳ぶことを意識してる。2人は?

舘 どうかな……。でも確かにやられる感覚はないよね。

石原 やっぱりカバーかな。1人が競った後に必ずみんなでカバーしている。自分の背中にボールがこ

ぼれても、2人いるから絶対やられない。そもそもラインが高いこともありますが、他のチームだったら1人で競り勝てるところでも、常に最悪の事態をイメージして、カバーリングを徹底していることが、やられていない要因かなと思います。

舘 広教が言ったことは僕たちも同じ意見です。ペナルティーエリアの中にクロスを放り込まれることはありますが、僕らは細かく動けるぶん、相手の前でボールに触れるし、身体をしっかりぶつけているので上からヘディングをたたきつけられるシーンもあまりない。高さの弱みがさほど目につかないのは、細かく動ける自分たちの強みを生かして、身長が低いなりに、相手に自由にやらせないようにできているからかなと思います。

田中 自分はほぼ100パーセントの確率で競り負けるんですけど、後ろにはたいてい広教くんがいてくれるので……。

石原 (笑)。それは言い過ぎじゃない?

舘 ハハハ。

田中 いや、僕はほとんど競り負けています。センターバックをやる時は試合の前日にヘディングの練習をしているんですけど、試合になると全然勝てない。広教くんや(中村)駿くんが代わりに競ってくれたり、そうやって周りの選手が自分に気を使ってくれているから失点が少なくなっているんだと僕は思っています。

──DFとして日本代表経験もある山口智コーチからはどんなことを教わっていますか?

舘 智さんに言われることは個人的に多いです。特に指摘されるのはポジショニング。ボールの状況に

舘 幸希(たちこうき)

1997年12月14日生まれ、三重県鈴鹿市出身。173cm、73kg
鈴西サッカースポーツ少年団 ▶ 伊賀フットボールクラブ Jr. ユース ▶ 三重県立四日市中央工業高校 ▶ 日本大学 ▶ 湘南ベルマーレ
※2019年 JFA・Jリーグ特別指定選手(湘南ベルマーレ)

DF #4
Tachi Koki

MF #32
Tanaka Satoshi

守備の優先順位や意識も含めて変わった

よって広教がポジションを変えた時に、自分もつながっていなければいけないと常々言われている。ポジショニングの重要性をあらためて考えさせられました。競り合いについても、ボールがこぼれた時に自分がやられてはいけないところを素早く埋めなければいけない。智さんに言われて気付き、考えることは多いです。

石原 ポジショニングは俺も言われています。常に相手を外せる位置を取るとか、ボールを持っている味方の選手がパスを出しやすい位置にいるとか。それは聡も言われてるでしょ?

田中 はい。

石原 バックラインの選手は全員言われています。センターバックがドリブルで運ぶシーンが去年より少ないのは、パスで相手のプレッシャーを外せるから。それは智さんが常に細かく話してくれています。

田中 2人が挙げたことに加えて、自分はインターセプトを狙い過ぎて裏を取られる場面がけっこうあって、智さんからは、「裏を取られるのが一番ダメだから、8対2ぐらいの感覚で裏を守れ」と言われています。自分はこれまでDFの経験がなく、ボランチと同じ感覚でプレーして失点につながったことも去年あったので、守備の優先順位や意識も含めて変わったと思います。

石原 あと僕らは、相手がロングボールを蹴ってきた時に、はね返したボールを拾われてしまう確率が高いので、身長は低くても空中戦でしっかりつないでマイボールにする力を付けなければいけない。そこは智さんとも敏さん(浮嶋敏監督)とも話しているし、ここからまた改善できると思います。

毎試合課題が生まれてやりがいを感じる

──ビルドアップは去年よりもスムーズにできているのでは?

田中 そうですね。

石原 たまに失い方が悪い時もあるけど、変に詰まって取られることはないし、去年よりも今年のほうがうまく回せていると思います。

──その上で得点力を上げるためには何が必要だと考えますか?

舘 前の選手は、守備で追ってくれているぶん、攻撃にパワーを使えていないのではないかと感じる部分はあります。いい奪い方ができれば、相手はバランスが崩れているし、僕たちには走力やスプリント力があるので、いい攻撃につながるはず。個人的には、奪って前につけて出ていくことを意識しています。

石原 いきなり(最終ラインから)いなくなります(笑)。

舘 (笑)

石原 カズくんもゴールにどん欲なので、舘くんとカズくんと組む時は2人ともいない時があってリスク管理が大変(笑)。だから点を取って帰ってきてほしいですね。

田中 自分たちはそんなに攻撃的なチームではないので、舘くんも言ったように、高い位置でボールを奪い、そのままショートカウンターでゴールできるのが一番いいと思います。それと、去年から敏さんがやっているつなぐサッカー。この2通りで点を

田中 聡(たなかさとし)
2002年8月13日生まれ、長野県長野市出身。174cm、70kg
長野FCガーフ ▶ AC長野パルセイロU-15 ▶
湘南ベルマーレU-18 ▶ 湘南ベルマーレ
※2019年湘南ベルマーレトップチーム登録

取っていければもっと勝ちにつながると思う。その
ためにも守備をもっと突き詰められればいいなと
思っています。

石原 全員で守って全員で攻める、それが昔から
変わらない湘南のサッカー。FWの選手は最近あま
り点を取れてないですけど、守備を頑張ってくれて、
感謝の気持ちがほんとに大きいし、逆に自分たち
も攻撃をサポートしなければいけない。FWがもっ
と楽に点を取れるような、ゴールにつながるビルド
アップやパスを増やすのは後ろの選手の役目でも
あると思うし、さっき舘くんが言った攻撃参加を僕
がやっても悪くないと思う。決定機を増やすために、
前線を厚くして攻撃をサポートすることをもっと突
き詰めて、自分のプレーの精度も高めていかなけれ
ばいけないと感じています。

―― シーズンも折り返し、ここからに向けて最後に
抱負を聞かせてください。

舘 前半戦は負けない試合が多かったとはいえ、勝
ち星も少なかった。追い付かれて引き分けた川崎戦
のように、1点を守り切る力も、攻撃の力も重要にな
る。引き分けを勝ちに、負けを引き分けに持ってい
く力を付けるために、トレーニングからしっかり突
き詰めていければと思っています。

田中 自分はセンターバックやアンカーをやって
いますが、毎試合課題が生まれて、すごくやりがい
を感じています。大切に取り組んでいけば、いいパ
フォーマンスを出せると思うし、チームの結果にも
つながると思う。いつもチームのみんなが助けてく
れているので、自分もプレーで返さなければいけな
いと思っているし、チーム一丸となって残りの試合
を戦っていきたいと思います。

石原 自信を持ってプレーできている選手が去年
より多いと思うし、勝ちを目指して練習からしっか
りやっていきたい。点を取れるよう頑張ります。 **SB**

Kaneko Shin-ichiro

Kaneko Shin-ichiro

Kobayashi Shota
Okamoto Takuya
Takahashi Ryo

鼎談 **古林将太 × 岡本拓也 × 高橋 諒**

阿吽の呼吸

1991年生まれの古林将太、1992年生まれの岡本拓也、1993年生まれの高橋諒。
2019年12月7日に行われた J1リーグ第34節、3人は同じピッチに立っていた。
現在は同じユニフォームを身にまとう彼らが感じている阿吽の呼吸とは。

取材・文=大西 徹　Words by Onishi Toru　写真=兼子慎一郎、大西 徹
Photography by Kaneko Shin-ichiro, Onishi Toru

話し始めたらガンガン懐に入ってくる

——ウイングバックでプレーすることが多い3選手に集まっていただきました。まず、それぞれが知り合った頃の話を伺いたいと思います。古林選手と岡本選手が初めて会話をしたのはいつ頃でしょうか？

古林　アンダー世代で高校生の時に知り合っていて、拓也は一つ下で、僕らの年代に上がって入ってきた時にしゃべったのを覚えています。

岡本　そうですね。それが最初、高校生ぐらいです。

古林　俺が高3で拓也が高2じゃない？　それぐらいから一緒にやってます。

——その時の印象について何か覚えていますか？

岡本　コバくんはパッと見が怖そうだけど、話してみるとおちゃらけてるし、いつも大介くん（菊池大介、現栃木）とおちゃらけてたイメージがあるかな。

古林　確かに。

岡本　話したらすごく優しかった。

古林　俺らの年代に下の代がめちゃくちゃ入ってきて、侵略されてる感じでした。

岡本　俺らの代がめちゃめちゃ生意気なんですよね（笑）。

古林　そう、みんな生意気だから。

岡本　宇佐美（貴史、現G大阪）とか。

古林　俺らはみんな薄かった（笑）。

——岡本選手の印象は？

古林　寡黙な感じがするけど、しゃべると笑顔がかわいい、そういう印象でした。

岡本・高橋　ハハハ。

——古林選手と岡本選手は2016年3月27日にナビスコカップ第2節名古屋対湘南で対戦しています。

古林　俺が名古屋にいた時ですね。シマくん（島村毅）に入れられた試合だ（湘南が1-0で勝利）。

岡本　俺、途中からじゃないですか？

——90分からですね。

岡本　そうですよね。

古林　シマくんに入れられたシーンはすごく覚え

30歳にして新しい道が開けてるのかなと感じる

てる。

──続いて、岡本選手と高橋選手の関係についても伺いたいと思います。高橋選手がベルマーレに入ったのは2017年7月でした。

高橋　そうですね。でも、最初は全然しゃべってなくて、僕がケガして、拓也くんもケガした時に初めてしゃべったと思います。

岡本　2017年の夏に来て……。

高橋　3日ぐらいでケガして。

古林　点を速攻決めてなかった？

高橋　それは復帰してからです。

古林　あれは復帰してからなんだ。

岡本　俺もケガしてリハビリで一緒になって仲良くなったよね。

高橋　はい。

──リハビリでどんな印象を受けましたか？

高橋　最初は怖かったです。全然話し掛けてくれないし。

古林　拓也は怖いよね、しゃべんないと。

岡本　確かに（笑）。諒は話し始めたらガンガン懐に入ってくるけどね。

古林　ハハハ。

高橋　早かったですね、話すようになってからは。

岡本　試合をめっちゃ見に行ったよね。

高橋　行きました（笑）。

──試合を見に行ったというと？

高橋　ケガしていた期間ですね。

岡本　そう。リハビリをしているとけっこう時間ができるから。

高橋　ACLとか見に行ってた。

岡本　近隣のスタジアムでやってる試合とか。

古林　マジで？

岡本　平日にACLを見に行ったりして。浦和、川崎。

高橋　行きました。あと日本代表戦とかね。

岡本　そうそう（笑）。あの時、謎のブームが。

高橋　謎の試合を見に行くブームがありました。

──岡本選手から見て、高橋選手の第一印象は？

岡本　最初は全然しゃべりかけてこなくて、年は近かったからそのうちしゃべるのかなって思いなが

ら1カ月ぐらいが過ぎました（笑）。

古林　ハハハ。

高橋　すぐケガして、練習とリハビリの時間が違うし、会うのはミーティングぐらいですからね。

岡本　そうだね。顔を合わす機会が少なかったからね、ってことにしておきましょう。

恥ずかしいけど、うれしいです

──続いて、古林選手と高橋選手が初めて会話をしたのは、高橋選手がプロ1年目、名古屋時代の2016年ですか？

高橋　はい。そうです。

古林　なんかやかましいヤツが入ってきたんですよ。俺も名古屋に引っ越して、まだ家が見つかってなかったから、最初の2週間ぐらいは寮に住んでたんです。やかましいヤツがいるなと思って、竜司（和泉竜司、現鹿島）とさ。

高橋　考起（杉森考起、現徳島）とか。

古林　そういう印象が最初はありました。若いなあと思いながら。

岡本　じゃあ入った時期が一緒ってこと？

古林　そう。だから名古屋では同期なんですよ。

高橋　そうですね。

古林　寮にいる時は全然しゃべってなくて、1年目同士だからキャンプでもそんなにしゃべれずに。

高橋　コバくんは永井さん（永井謙佑、現FC東京）とかけっこう上の人と。

古林　そうそう。名古屋では上の人と仲良くさせてもらう機会が多かったから。でも、2年目だよね、けっこう仲良くなったのは。

高橋　そうですね。

古林　2年目に監督が代わって、なかなか試合に出る機会がなくて、めちゃくちゃ仲良くなった（笑）。

岡本　ハハハ。

古林　一緒にゲームをやったり、練習後にランニングしに行ったり。

高橋　懐かしいですね。

古林　2年目に仲を深めた印象はかなりあります。

MF #5
Kobayashi Shota

DF #6
Okamoto Takuya

引き分けを勝ちに、負けを引き分けにつなげたい

岡本　練習でマッチアップするんじゃないの？

古林　2年目はなかなか練習に入れなくて（笑）。

岡本　ああ、そういうやつかあ。

古林　1年目はけっこうマッチアップしたけどね。

高橋　そうですね、1年目は。

古林　でも1年目だから、諒もあまりガツガツしてなかったよね。

高橋　緊張してました。

古林　2年目はけっこう仲を深めました。喫茶店で一緒にモンハンをして（笑）。

岡本　それは仲良くなりますね（笑）。

──ありがとうございます。3人がフル出場した試合を調べたところ、2019年12月7日にJ1最終節松本対湘南で対戦していました。

古林　その試合は人の顔を見る余裕があまりなくて、僕らにはけっこう大事な試合だったから、死ぬ気で戦ってました。諒が左サイドハーフで出ていて、俺が右サイドハーフで、拓也が後ろにいて、3人ともマッチアップがけっこうあったと思う。諒とけっこうバチバチやった覚えはあります。その試合は必死でした。

岡本　間違いない。

古林　あまり余裕がなかったですね。

岡本　雪が降ってて寒かった。

古林　寒かったね、確かに。

岡本　気持ちの余裕がなかったですね。高橋がやたら頑張ってくるなっていうイメージが。

古林　ハハハ。それはあるな。

岡本　松本はもう降格が決まってたから、「おまえいい加減にしろ」「やめてくれ」って諒に思った記憶があります。

高橋　あの試合の前に降格が決まってたんで、試合までの1週間はすごく難しかったです。でも、いざ試合が始まったら気持ちが入ってました。

岡本　やめてくれよ（笑）。

古林　まあ相手がベルマーレだしね。

高橋　僕がいたチームですし、やっぱり自分の成長した姿を見せたくて、気持ちも入りました。

──今年からベルマーレに3人がそろいました。岡本選手と高橋選手から見て、普段の古林選手はどんな人ですか？

岡本　コバくん、ベルマーレ歴が長いし、みんな知ってるんじゃないですか？（笑）。

古林　サポーターのほうが知ってるよね（笑）。

岡本　やっぱり最初はちょっと怖いと感じるけど。

古林　最初はビビられがちなんだよね。

岡本　そう、見た目がね。でも、全然怖くないし優しい。いつもふざけてるし。

高橋　普段優しいし、ふざけてるんですけど、サッカーになると急に真面目になる。

古林　ハハハハハ。

岡本　あと、試合中も練習中もめちゃくちゃ褒めてくれる。「ナイス、ナイス、いいぞ」みたいな。

古林　それは大事。怒られて成長する選手はあまりいないから。気持ち良くプレーできないし。いいプレーをしたら褒めてあげないとなっていつも思う。それは先輩にも（笑）。

──そんな古林選手のストロングポイントは「クロス」とベルマーレ公式サイトで紹介されています。

岡本　クロスは絶品ですね。一緒にクロスを練習する機会もあるけど、やっぱりさすがだなって毎回思いますね。今年のマリノス戦（第7節、1-1、山田直輝のゴールをアシスト）で上げたようなああいうクロス、俺も上げてみたいなって思います。

高橋　クロスはすごい。名古屋の時からずっと見てて、むちゃくちゃうまい。いろんな球種を蹴ることができるから。当時の名古屋で一番のストロングだったイメージがある。

古林　あの時、あれしかなかったもん（笑）。

高橋　コバくんがクロスを上げて、シモビッチが決める。

岡本　俺、コバくんのそのイメージ、めちゃあるわ。

古林　だって最初はそこしかなかったよね（笑）。

高橋　そうですね。開幕前はサイドバックだったのに、やっぱりサイドハーフになって。

古林　ずっと右サイドバックで出てたけど、開幕直前の1週間前ぐらいに練習試合でサイドハーフとして使われて、そこからサイドハーフになった。

そこにいてくれるだけでも自分たちの力になる

岡本　そうなんだ。

高橋　そこまでして使いたい選手だったんですよ。

――という感じで岡本選手と高橋選手が紹介してくれました。

古林　いや、そうですね……恥ずかしいけど、うれしいです……以上です。

股を抜くの、うまくない？

――古林選手と高橋選手から見た岡本選手のプレーですごいところもぜひ聞かせてください。

古林　今は右でバチバチやり合ってますけど、2年前は拓也が後ろにいて、俺が前にいてっていう試合がけっこう多くて。その時も今もそうですけど、後輩だけど後ろでどっしり構えてるというか、すごく頼りになる存在だなと試合中にいつも思っています。やる時にはやってくれる男なんで、そこはやっぱり湘南に必要な選手だなって。

高橋　やっぱり湘南スタイルの体現者というか、練習でも絶対に手を抜かないですし、そういう姿勢を見せてくれてるんで、こっちもやらなきゃいけないっていう気持ちにさせてくれます。試合では波がない選手だなって昔いた時から思ってたんで。マッチアップしたら削られるので一番嫌ですね。

古林・岡本　ハハハ。

――それは練習で？

高橋　まあ、練習では絶対に削られるんですよ。

古林　練習中も100パーセントだから。

高橋　そう。練習中のマッチアップは嫌だし、僕が松本にいた時も絶対にマッチアップしたくなかったですね。

――ベルマーレ公式サイトでストロングポイントは「攻守の切り替え」の他に「守備」と紹介されていました。

高橋　だから、あまりやられてるシーンを見ない。試合前にも対戦相手をしっかり……ね（笑）。

岡本　それ言うなよ、おまえ。やめろよ、恥ずかしいな。

高橋　ちゃんと研究してる。試合をする相手の前

の試合もちゃんと見てるから。その一戦に懸ける気持ちというか、とてつもない執念を感じます。

古林　執念を感じます（笑）。

岡本　どんな時も準備することは僕の中で大事にしていて、それは練習でも試合でも変わらないし、自分が後悔しないようにやっています。

――今シーズンは3月にゴールを2つ挙げています。

高橋　そうですね。何でそこにいるんだろうっていうところに拓也くんがいますよね。

古林　VARで消されてなかったら5点ぐらい決めてるよね。

高橋　そうですね。

岡本　自分でも分かんないですけどね。

古林　来る時は来るよね。まあ、いるべきところにちゃんといて、準備が大事だということだね。

――古林選手もルヴァンカップ柏戦（グループステージ第3節、1-1）の終了間際に同点ゴールを決めました。

古林　あれはまあ前にボールがあっただけで。あれも準備かな？（笑）。

岡本　あそこまで走ってることが大事なんですよ。距離も長いですし、ウイングバックであそこまで入っていくのは難しい。

古林　湘南のウイングバックはけっこう特殊で、いろんなことを考えながらみんなやっていて、すごく大変だと思います。

――その中でも一番大変なところは？

古林　すごく頭を使うというか。ディフェンスだったら、逆サイドに（ボールが）ある時にどこに絞るかとか。数秒遅れたら間に合わないし、かといって守備だけじゃなくて攻撃に加勢しないとFWも大変だし。だから、試合によって違うんですけど、みんないろんなことを意識して、毎回違うことを考えながらというか。すごく大変なポジションだと思います。

――それでは、古林選手と岡本選手から、高橋選手の優れている部分もぜひ聞かせてください。

古林　クロスはいいものを持ってると思っています。クロスの他にも、攻撃の質はすごいし、守備も自分にはないものがあってすごく憧れる。J1でも十分

Kaneko Shin-ichiro

MF #42
Takahashi Ryo

戦えているし、そこは自分にないものなんで、ちょっと盗みながらやってるところはありますね（笑）。同じサイドで抜こうとする時に「ちょっと嫌だな」って思うこともありますし。

岡本　そうですね。攻守においてレベルが高いし、何より走れる。昔ベルマーレにいた時より攻守においてスケールアップしてると思います。

――ベルマーレ公式サイトでストロングポイントは「ドリブルとハードワーク」と紹介されています。

古林　ドリブル、いいですよね。股を抜くの、めちゃくちゃうまくない？

岡本　うまい。

古林　相手の意表を突くというか、俺が死にもの狂いでバーッと取りにいっても、チョンってかわされる。あとはハードワーク？　それは元々できる選手だから書かなくてもいいと思います（笑）。

岡本・高橋　ハハハ。

ゴールに関わるプレーをしていきたい

――古林選手は今シーズン、ウイングバック以外のポジションでも起用されています。ポジションによって役割がガラッと変わりそうですね。

古林　役割は毎回違いますね。FWとかシャドーとしてスタメンで出る機会はないですけど、だいたい途中から出る時は、やっぱり自分のストロングである裏への抜け出しは常に意識しています。だいたい入る時に「得点を狙いにいけ」って言われるんで。いい立ち位置で、いい守備をしながら、FWで入ったら点を取りにいくのは常に意識しています。役割は毎回違うので説明するのは難しいですけど、30歳にして新しい道が開けてるのかなと感じます。

――古林選手がピッチに入る時、いったいどのポジションに入るのかファン・サポーターも注目していると思います。

古林　ウチの父と母も「どこにいるんだ？」っていつも探してるみたいです。

岡本　ハハハ。

古林　家族の中で「今日はどこだった？」みたいな話にだいたいなりますね。自分は与えられたポジションで、常に気持ちを切り替えて戦っています。

岡本　やっぱりチームに欠かせないというか、どんなポジションでもコバくんらしくプレーできるのはすごいことだなと思う。僕が右に入ってコバくんがサイドボランチにいる時は、しっかりコバくんの良さも生かせるようにプレーしているつもりです。僕としては、途中からコバくんが入ってくれるとすごくやりやすいので、しっかりお互いコミュニケーションを取っていて、いい関係はできていると思います。

高橋　コバくんは途中から入ってきてチャンスをつくってくれますし、押し込まれている時間帯に入ってくれると助かります。サイドボランチに入った時

古林将太（こばやししょうた）
1991年5月11日生まれ、神奈川県南足柄市出身。174cm、70kg
湘南ベルマーレジュニア ▶ 湘南ベルマーレ Jr. ユース ▶
湘南ベルマーレユース ▶ 湘南ベルマーレ ▶ ザスパ草津 ▶
湘南ベルマーレ ▶ 名古屋グランパス ▶ ベガルタ仙台 ▶ 湘南ベルマーレ

岡本拓也（おかもとたくや）
1992年6月18日生まれ、埼玉県さいたま市出身。175cm、73kg
道祖土サッカー少年団 ▶ 浦和レッズジュニアユース ▶
浦和レッズユース ▶ 浦和レッズ ▶ V・ファーレン長崎 ▶
浦和レッズ ▶ 湘南ベルマーレ

も、元々ウイングバックの選手なので、僕が何も言わなくても守備の時にいてほしいところにいてくれます。

古林　俺が入る時、だいたい高橋は苦しそうにしてるからね。俺が左に入ったらバーッて前に行くのは、サイドをやってるから分かるんだよ。拓也が（ボールを）持った時も、俺が裏に走るとか、そういうのは意識してるし、幅が広がったなあと思いますね。

岡本　いちいち指示しなくていいのが楽だよね。

高橋　そうですよね。分かってるから。

古林　阿吽の呼吸だから（笑）。

――今後、個人としてもっと伸ばしたい、改善していきたい部分を教えてください。

古林　常に攻撃だけじゃなくて守備の面も求められていて、それは僕の永遠の課題なんですけど、やっぱり守備で粘り強く付いていくところは、もっと突き詰めないとなかなか上には行けないのかなと感じていますね。

――今年のベルマーレ、守備は安定しています。

古林　そうですね。後ろの人たちもウイングバックもみんな安定してやってると思うので、そこはみんなを見ながらというか、自分が出た時も安定してできるように意識はしています。

――岡本選手と高橋選手は改善していきたいところは。

岡本　攻撃のところでもうちょっと右を起点に攻

高橋 諒（たかはしりょう）
1993年7月16日生まれ、群馬県高崎市出身。171cm、68kg
東部小 SC ▶ 雲仙市立国見中学校 ▶ 長崎県立国見高校 ▶ 明治大学 ▶
名古屋グランパス ▶ 湘南ベルマーレ ▶ 松本山雅 FC ▶ 湘南ベルマーレ
※2015年 JFA・Jリーグ特別指定選手（名古屋グランパス）

めるようにしたり、もっと相手コートのアタッキングサードで突破できるようにしたり、コバくんのようにもっとクロスでチャンスをつくらないといけないのかなとは思っています。

高橋　僕も拓也くんと同じで、ゴール前のクオリティーをもっと上げないといけないなと思っています。もっと高い位置でボールを引き出して、クロスを上げたりシュートを打ったり、ゴールに関わるプレーをしていきたいです。

――ウェリントン選手が入って、前線にはっきりとしたターゲットができました。ウイングバックやサイドボランチの選手にとって、かなり大きな変化ではないでしょうか。

古林　そうだと思います。その一言に尽きると思います（笑）。そこに上げればだいたい競ってくれて、ゴールまで持っていく力がありますからね。ただ、これからもっと点が必要になってくると思うので、ウェリントン1人だけじゃなくて、そこに誰か絡んでいくようにしたいです。点を決めているシーンを見ると、けっこうウェリントンが1人になっているから。攻撃のクオリティーを上げていけば、得点の機会が増えると思います。アタッキングサードに行った時に、もうちょっと枚数を増やしたいです。

――話は尽きませんが、時間となりました。最後に今後の抱負をお願いします。

高橋　今年は今までになく厳しいシーズンですし、絶対に残留しなければいけないので、一試合一試合が大事になってくると思います。ファン・サポーターの皆さんはスタジアムで声を出せないですけど、手拍子をしてくれたり、そこにいてくれるだけでも自分たちの力になっています。僕たちも目標を達成するために、これからもチーム一丸となって戦っていきます。

岡本　昨年の悔しい思いをみんな持ってると思うし、昨年のようにならないためにも、今は一戦一戦しっかり目の前の試合に集中して戦って、粘り強く勝点を拾えていると思います。引き分けを勝ちに、負けを引き分けにつなげられるように、みんなで課題に向き合いながらトレーニングを積んで、しっかり試合を戦っていきたいです。

古林　新型コロナウイルスの影響でファン・サポーターの方もみんな苦しい状況だと思います。すごく難しいシーズンですが、サッカーができる幸せを感じながら、皆さんの応援に応えられるように、常に100パーセントで戦っていきたいと思います。　SB

| 対談 | 梅崎 司 × 三幸秀稔 |

一つひとつ積み重ねて

湘南4年目の梅崎司はルヴァンカップ第6節でアシストという結果を残した。
湘南2年目の三幸秀稔は昨年のチャレンジが今年につながっていると明かした。
来るべきチャンスに備え、一つひとつ積み重ねていることとは。

取材・文=隈元大吾　Words by Kumamoto Daigo
写真=兼子慎一郎、木村善仁（8PHOTO）　Photography by Kaneko Shin-ichiro, Kimura Yoshihito（8PHOTO）

変わってるなとすごく感じました

――クラブの公式サイトの選手紹介で、「無人島にチームメートを一人連れていくなら」という質問に、梅崎選手は三幸選手と答えています。

梅崎　（爆笑）

三幸　うれしいな（笑）。

梅崎　いや、無人島じゃないですか。三幸がいたら暇にはならんかなって（笑）。あと発想力がすごいから、「こうやったらどうにかできるんじゃないか」みたいなアイデアをいろいろ出しそう。

三幸　そうでしょうね（笑）。

――2人は昨シーズン、ベルマーレで知り合ったのですか？

梅崎　いや、もっと前からです。最初は東北の……。

三幸　チャリティーマッチです（JPFAチャリティーサッカー 東北ドリームス対JAPANスターズ）。

梅崎　そうだ。2013年かな？

三幸　そうです。

――梅崎選手は浦和、三幸選手は甲府に在籍してい

た頃ですね。その時、会話はあったのですか？

三幸　子どもたちとサッカーをするために選手で3人組をつくってくれと言われて、でも僕は甲府から一人で行ったから知り合いがいなくて。それでたまたまウメちゃんとノブくん（加藤順大、現マッチャモーレ京都山城）と3人で組んだんですよ。そこからですね。

梅崎　いつも年末年始になると、ノブが埼玉でフットサルやサッカーを企画するんですよ。それ以来、三幸もそこに参加するようになって。

三幸　ノブくんの家で食事する時もありましたよね。ウメちゃんの家族全員と僕もいて。

梅崎　ノブがすごくお世話好きというか、後輩をかわいがる人なんですよ。僕もすごくかわいがってもらったし。それで三幸は、年末も年始も、何かあるごとに「あれ、またいるの？」みたいな（笑）。

三幸　ずっとノブくんの家にいましたからね（笑）。1週間とか余裕で泊まってました。

――出会った当時のお互いの印象を教えてください。

三幸　僕は世代別の代表の頃から見ていたので、「うわ、あの梅崎司だ」みたいな。「あの」って感じで

Kaneko Shin-ichiro

MF #7
Umesaki Tsukasa

純粋にサッカーが好きで、うまくなりたい

すよね。

梅崎　マジで？（笑）。

三幸　そうです、「あの」って感じですね。でも話してみたら人当たりが柔らかくて優しくて、「優しい梅崎司だ」って思いました（笑）。

──初めて出会った時の「あの梅崎司」という反応は、以前の『SHONAN BOOK』の対談で野田隆之介選手（現京都）も話していましたよね。

梅崎　隆之介ですか？　あ、そうだ！　言ってましたね（笑）。

──梅崎選手から見た三幸選手の第一印象はどうでしたか？

梅崎　なんですかね……。かわいい後輩？

三幸　変わってるとよく言いますよね。

梅崎　ベルマーレに来てから、変わってるなとすごく感じましたね。

三幸　変わってるかな。

──チームメートになって関係性はどのように変化していますか？

梅崎　出会った当時はまだ先輩を立てる感じだったけど、一緒になったらイジりっ気が強くなったような。

三幸　（笑）

梅崎　ってか、イジるのが主なんだみたいな（笑）。

三幸　いや、理由があるんですよ。ウメちゃんはノブくんよりも年下ですよね？

梅崎　ノブより2歳下。

三幸　僕はノブくんと呼んでいたんですけど、ベルマーレに来たらウメさんと呼ばれていたから違和感しかなくて。いや、まだ「さん」じゃないなって思って。

梅崎　最初はたぶんウメくんだったよ。でも即行

「ちゃん」だったよな。

三幸　はい。ウメくんも違うし、即行ウメちゃんでしたね。最近は司って呼んでます（笑）。「あの梅崎司さん」から、いまや「司」って呼んでる（笑）。

梅崎　すごい変化だよね（笑）。

三幸　奥さんか俺かぐらいじゃないですか、世の中で司って呼んでるのは。

梅崎　いや、奥さんもウメちゃんだから（笑）。

三幸　間違いない（笑）。

ウメちゃんのおかげで助かった

──付き合いが深いからこそ知っているお互いの意外な一面はありますか？

梅崎　僕はものすごくありましたね。それこそフットサルをやっている時はガッチャガチャだったんですよ。シーズンオフなので、僕は激しくやるよりテクニカルにやりたいのに、球際とかめっちゃガシャンガシャン来るという。

三幸　（爆笑）

梅崎　ここでコンディションを上げに来るのか!?みたいな（笑）。という最初の印象がすごく強くて、でも後々プレー集とかを見たら「山口のピルロ」と言われていて、どういうことやと。

三幸　（笑）。僕は当初ピルロのプレーを知らなかったんですよ。どちらかというと、シャビ・アロンソやジョルジーニョの映像を見せられていたので。それでその記事が出てからピルロの映像を見て、ちょっとまねしました（笑）。

梅崎　ハハハ。僕の中ではガチャガチャのイメージだったのに、見たらめちゃくちゃうまかったんですよね。さらに同じチームになって、サッカーをすご

梅崎 司（うめさきつかさ）

1987年2月23日生まれ、長崎県諫早市出身。169cm、67kg

長崎FC ▶ キックスFC ▶ 大分トリニータ U-18 ▶ 大分トリニータ ▶ グルノーブルフット38（フランス）▶ 大分トリニータ ▶ 浦和レッズ ▶ 湘南ベルマーレ

同じ感情で話ができる人ってなかなかいない

く知っていることが分かりました。周りがよく見えていて、僕にはない感覚を持ち、しかもそれを言語化できる。たぶん頭の中でどんどんイメージが湧いて、それをパパパッと言語化する能力がすごく高い。僕は図がないとその言葉に追い付けない。僕が一緒にやってきた選手の中で、そういう人はあまりいないので、それはちょっと驚きですね。

三幸 ありがとうございます。僕のウメちゃんのイメージは、以前はドリブラーでサイドでプレーしている印象だったんですけど、ベルマーレではFW寄りで真ん中でのプレーが増えていて、点取り屋になってきていると思いました。キャンプの時に、「ミユ、今の動き見えた？」と聞かれても、見えていないことが何回もあったんですよ。この人どこで走っているんだろうと思って、試合の映像を見たら、人と違うタイミングで走っていることが分かった。「あの梅崎司」とは少し違うプレーヤーになっていて、この人にパスを出せば点を取れるとイメージすることができました。

梅崎 僕が彼に言ったのは、三幸だから言ったところもあって。近いポジションでの出し手と受け手だったら自然に視野に入ってくると思うんですけど、三幸は遠いところを見ることができるし、展開するパスも、一発で形勢逆転できる、フィニッシュにつなげられるパスも出せる。自分が動き出せば、三幸だったらパスが出てくると思えたので、それは今後も追求したいですね。なにせピルロですから。

三幸 いやいや、ピルロはめちゃくちゃうまいですよ（笑）。

――プロ目線で思うお互いの長所を教えてください。

三幸 僕は試合中ウメちゃんのおかげで助かった

と思うことがかなりあります。気が利くというか、守備では消してほしいところや行ってほしいところをチームのために的確に押さえてくれる。逆に攻撃だったら、作戦ボード上では分からないような、パスコースがない状況になっていても、相手がマークに付けないところに必ずと言っていいほど落ちて来て、確実にキープしてさばいてくれるので、もう一度立て直すことができる。今は攻められないという感覚が自分と合っているプレーヤーなので、一緒にプレーしていて助かります。

梅崎 裏の駆け引きや最後の局面に持ち込むためにはボールをキープしたり運んだりすることも必要なので、どこにいたら相手は嫌かなとか、どうやったらピックアップしてマイボールにできるかなとか、状況に応じてサポートに入ったり、引き出したりする、そこの判断は大事にしています。僕の課題は、そっちにばかり意識が行き過ぎて、とにかくサポートに急いで入っていかなければというふうになって、自分の視野が確保できていなかったり、次の選択肢を持てていなかったりすることがあるので、両方を併せ持ってプレーできればいいのかなと思います。チームが機能しなければ自分も機能しないし、組み立ての過程があっての自分の最後の良さだと思うので、そこはルヴァンカップを通して強く意識しましたね。

三幸 自分としては、FWの選手にはなるべく前でプレーしてほしいし、ゴールの近くでストロングを出してほしい。安定して前に進めない限りそういうシーンはつくれないので、前の選手が思い描くとおりに仕掛けたりシュートを打ったりできるように、後ろの選手たちはいかにボールを運んでいくかが重要。最後のところで力を抜いて打てればゴールの

三幸秀稔（みゆきひでとし）
1993年5月23日生まれ、千葉県市川市出身。172cm、65kg
市川中央 L.K ▶ JFA アカデミー福島 ▶ ヴァンフォーレ甲府 ▶
SC 相模原 ▶ レノファ山口 FC ▶ 湘南ベルマーレ

MF #29
Miyuki Hidetoshi

もっともっと突き詰めなければいけない

確率も上がると思うので、前の選手の守備もなるべくクリアにしてあげたい。

——では、梅崎選手から見て三幸選手の長所は？

梅崎 冒頭にも言いましたけど、相手をどう崩していくか、マークをどう剥がしていくかを描くのがすごく早いので、動き出しも速い。その中でワンタッチなのかツータッチなのか、展開すべきなのかつけるべきなのかキープすべきなのか、というのを高速で逆算できるので、プレーテンポがいいですよね。モタモタしない。例えばツータッチしてロングボールを蹴る場面なら、まず流れの中でボールをしっかり置いて、選択肢をいくつか持った中で、相手はこっちに引っ張られるから逆に蹴る、というのを頭の中で描いている。たぶんみんな、ロングキックがうまいと思っていると思うんですけど、まずはそこの駆け引きがあった上での技術。ロングキックも無理に蹴ることがないし、フォームがきれいで無駄がない。それってすごいなと僕は思いますね。

考え続ける、トライし続ける

——梅崎選手は大ケガを幾度も経験し、三幸選手は所属チームのない時期があるなど、それぞれ逆境を知っているイメージがあります。

梅崎 彼がプロに入ってからの話は聞いていますし、間違いなく精神面でも強い男だと僕は思っていますね。

三幸 ウメちゃんも僕も前十字靭帯損傷を両足やっているんですけど、ウメちゃんが2度目のケガの時に、「右も左もやったらバランス良くなったわ」ってポロっと言ったと聞いて、すごいなと思って。それから僕もまねして言うようにしてるんですけど（笑）。

梅崎 （笑）。取った？

三幸 はい、取りました（笑）。そしたら「三幸は強いな」と言われた（笑）。それはともかく、ウメちゃんにあるのは、そうやって逆境を乗り越えるメンタリティーと、一番は、ただただうまくなりたいとか強

くなりたいとか、とにかくサッカーが好きだという気持ち。海外にチャレンジし、J1でプレーし続けて、僕からしたら「ほかにやることあります？」って思うぐらいなのに、まだまだうまくなろうと練習して、入念に準備もして、こんな大したことのない僕にサッカーの話をしてくれて、すごいな、ほんとサッカー好きなんだな、サッカーがなかったら死んじゃうんじゃないかなって（笑）。

梅崎 （爆笑）

三幸 だからこそ僕は、先輩なのでこう言っていいのか分からないですけど、ウメちゃんとは気が合うし、話を聞いてもらって意見も言ってもらって、サッカーの話をするのが楽しい。同じ感情でサッカーについて話ができる人ってなかなかいないと思うんですよ。これが「あの梅崎司」なのかって、驚かされるところがいっぱいありますね。

梅崎 うれしいですね。とは言いつつ僕も波があるので、去年はほんとに落ちてましたね。でもミユが今言ったように、好きかどうかだと思うんですよ。純粋にサッカーが好きで、うまくなりたくて、もう1回ピッチに立って活躍したい。ピッチでしか得られない感情ってあるので、ただただそれを得たいから、今と向き合う、自分と向き合う、どうやったら勝てるか考え続ける、トライし続ける。僕はそういう感覚ですかね。

——去年はなかなかケガが良くならず、人知れず落ち込んでいました。

梅崎 マジで、去年はマジで落ちてました。ハハハ。三幸ともたくさん話しましたね。僕の中で唯一相談できる場所だったというか、心の不安も打ち明けることが多かったし。なんか、今こう話していてすごく思ったんですけど、ミユはちょっと隆之介に似てるのかなって。隆之介とはまた違った形で苦しい思いをたくさん味わってきて、明るくふざけたりするけど、サッカーに対しては真摯で、サッカーのことをずっと考えていて、周りにはまったく出さないけどものすごく向上心を持っている。僕はいじられて

もうれしいし、違ったサッカー観があって、真面目な話もできる。そういうヤツってなかなかいない。だから、「ああ、ちょっと隆之介に似てるんだ」って、(以前の対談が)フラッシュバックしました。

三幸　ありがたいですね。

——梅崎選手が去年苦しんで這い上がってこられた背景に、三幸選手の存在があったのですね。

梅崎　ありました。彼の存在は正直大きかったです。ちなみにまだ這い上がれてないです。結果を出して初めて這い上がったと言えると僕は思うので。

三幸　ケガをした時、僕はしょうがないなって思うんですよ。だからあまり落ち込みもしない。でも、そんな僕でもつらいなと思うぐらい、去年のウメちゃんはずっとケガに悩まされていた。それを乗り越えて今年があるのも、サッカーと向き合っている証し

の一つだと思うんですよ。その姿勢を僕は尊敬するし、だから長年サッカーをやれているのかなと思う。人生を懸けて練習からどん欲に前で点を取りに行って、取ればガッツポーズして、気持ちを込めてサッカーをやっている。だからこそウメちゃんが口を開けばみんなが聞く。ウメちゃんの人間性やサッカー選手として、チームの一員として、尊敬しているから話が入ってくる。そういうことが一番大事。試合に出られなかった時の立ち居振る舞いや発言も含めて、すごくお手本になる選手だと思っています。

毎日積み重ねて、結果を残せるように

——三幸選手も去年は出場機会が少なく、苦しかったのではないかと想像します。

Kimura Yoshihito (8PHOTO)

三幸　そうですね。でもケガしてチームがなかった時もそうなんですけど、僕は自分に変な自信があるので、その意味で去年は、サッカーに対する自分の信念を大事にしながら、新しいチームにどうアジャストするか、自分の中でチャレンジした1年でした。去年1年間チャレンジし続けて、より頭がクリアになったことが今年につながっていると思います。

梅崎　僕も去年1回、三幸に言ったんですよ。なかなか試合に出られない状況が続いているけど、人にはないスペシャルなものを持っている選手なので、そのスペシャルを貫いたほうがいいんじゃないかなと僕は感じていました。でも一方で、チームが変わり、立ち位置や求められる幅も変わった中で、チームに順応していくところと自分を出すことはセットでなければいけない。それは僕にも言えること。純

粋にメンバーに入れてなくて、どうしたらいいか、すごく考えます。チームのタスクができなければ試合に立つことはできない。と同時に、プラスアルファは絶対必要。それには周りとの関係性、さっき言った「三幸ならここに出してくれる」といった信頼関係が必要だと思いますし、そこはもっともっと突き詰めなければいけないと感じています。どう？

三幸　うん、僕もそう思います。あとはやはり結果ですね。前の選手であればより結果が求められる。そのためには、チームとしてやらなければいけないタスクを的確にやった上で、余力を残しておくことも大事だと思っています。

梅崎　自分のストロングを出すためにね。

三幸　そうです。もちろんそのためには余力の残し方も大事。そこはもっとうまくできればと思う。

ゲームの流れを感じて戦うことが重要

梅崎 難しいところだけどね。俺の話で言うと、ルヴァンカップ柏戦（グループステージ第3節、1-1）。約1年半ぶりの公式戦のスタメンで、自分にとってもほんとに大事な一戦だと分かっていたし、ここで自分が点を取って勝てたら一番いい。でもチームとしてうまく循環することを第一に考えたら、ゴールを目指すことにフォーカスするのがいいのか、もしくはみんながチームとしてつながって戦えているという感覚を引き出すことが大事なのか、自分の中で試合前日まですごく考えた。それで、俺はまずチームとしてどう戦うんだという姿勢をスタートから示すほうが大事だと強く思ったんだよね。だから、めちゃくちゃつらかったけど、シャカリキにプレスバックした。

三幸 うん、行ってましたね。

梅崎 もちろんキャプテンという立場もあるし、プレッシャーをかけて、スライドして、というのをまずは徹底的にやって、「チームとして戦っているんだよ」「俺たちはやれるんだよ」という感覚をみんなにもたらすことが最優先かなと思った。その中でゴールを目指すスタイルのほうが、トータルで考えて自分の評価にもつながるのかなと捉えたんだ。

三幸 柏戦のプレスバックはかなり効いていたと思います。相手は嫌がっていたし、攻められなかった。ウメちゃんも相当きつそうでしたけど、おかげでなんとか守備が持った部分もあったと思います。あのプレスバックのように、僕はチームが勝てる方向に進んでいればいいと思うんですよ。逆に次の浦和戦（グループステージ第4節、0-0）は、前半良かった。たぶん確実に1点取らなければいけなかったと思う。あの場合は、プレスバックうんぬんよりもゴールに必死に向かい、1点取って前半を終えることがベスト。時間が進む中で、勝つためにどうするか、ゲームの流れを感じて戦うことが一番重要かなと思います。

——チームとして昨年より一定の結果を得ていると思いますが、手応えはいかがですか？

梅崎 手堅くなっていると感じます。あまりピッチに立てていませんが、スタンドから見ていても大崩れしない戦い方ができていると思う。まずは守備がベースで、誰がどの位置でプレッシャーをかけるのか、どちらに追い込むのか、みんなが共通認識を持てている。実際、失点は少ないですし、いい距離感で戦えていることは間違いない。攻めあぐねるチームが多いのはその証拠かなと思います。

三幸 （石原）広教、（谷）晃生という若い2人がうまく統率できていることが一番大きな要因なのかなと思います。バックラインを含めてバタバタせずに安定して守れているし、ボールを持とうとチャレンジしているからこそ守備の時間が去年よりだいぶ減っていると思う。ずっとボールを持っていれば守備しなくていいし、攻撃ができるようになってくれば守備の時間は少なくなる。チームのみんながしっかりつなごうと意識しているからこそ守れている部分もあると思うので、前向きにボールを握りながらプレーできれば、安定した戦い方になってくると思う。そういうところも含めて、去年より断然いいのかなと思います。

——前半戦はリーグ戦の出場機会の少なかった2人ですが、後半戦に向けての抱負を聞かせてください。

梅崎 やるべきこととやりたいことが自分の中で明確になってきているので、ブレずに日々トレーニングから一つひとつ積み重ねていく、そのプロセスをたどっていくことに尽きると思っています。虎視眈々としっかり準備したいですね。

三幸 チームがいい方向に進んでいればそれが一番だと思いますし、その中で勝点を積めない時や困った時に、「やっぱりミユ（が必要）」だと思ってもらえるような準備をしておかなければいけない。それがプロだと思うので、いつでも行けるよう、常にコンディションを整えて、ウメちゃんと同じように虎視眈々と狙いたい。自分が思うプレーとやらなければいけないプレーを毎日積み重ねて、結果を残せるようにしっかりやっていきたいと思います。 SB

Yamada Naoki
Ohashi Yuki
Machino Shuto

鼎談 **山田直輝** × **大橋祐紀** × **町野修斗**

今までと違う感覚

" 背番号10" 山田直輝はゴール前で高い決定力を誇り、
大橋祐紀と町野修斗はシーズン前半戦に2トップとしてコンビを組んだ。
逆境を乗り越えてきた3人が攻撃の鍵を握っている。

取材・文=隈元大吾　Words by Kumamoto Daigo
写真=兼子愼一郎、大西 徹　Photography by Kaneko Shin-ichiro, Onishi Toru

体力を残さず倒れるぐらいまで

——前線で共にプレーする3人ですが、出会いはベルマーレになりますか？

全員　はい。

——それぞれの第一印象を聞かせてください。

山田　覚えてないなあ。

町野　僕は「山田直輝選手や」って思いました。

山田　絶対ウソ（笑）。

町野　マジです。ほんとっす。リアルに「山田直輝だ」って。大橋くんはFWのライバルだと知っていたので、どれが大橋くんかなと思っていた。（分かった時は）いい体してるなあって思いました（笑）。ロッカーが近かったので。

大橋　俺は特に何も考えてなかったですけど、（町野は）身長が高くていいなあと思いました（笑）。ヤーマン（山田）がベルマーレに来た時、僕はケガをして

いたから、一緒にサッカーをやる機会は最初ほとんどなかったんですよね。ヤーマンが来たのって2年前？

山田　2019年の夏、福島キャンプの時。でもおーちゃん、キャンプにいた？

大橋　いました。室内にずっといた。だから僕も、「あ、山田直輝だ」って（笑）。

山田　そうなんだ（笑）。

大橋　ヤーマンはそのシーズンずっと試合に出ていて、僕はケガしていたので、プロ1年目に関してはあまり関わりがなかったですね。去年もずっとケガで離脱していて、でも8月かな、僕が鎖骨を折った時にヤーマンもケガしてリハビリに来て、そこでケガの大先輩という感じで一緒にやりましたね（笑）。

山田　いやいや（笑）。確かにおーちゃんは最初ケガしてたから全然関わってなかったね。周りの人たちが「あいつはすごいFWだから」と言うんだけど、でもその他に情報がないから、「ああそうなんだ」と

37

MF #10
Yamada Naoki

今までのサッカー人生と何か違う感覚がある

（笑）。それで今話にあったように、サッカーで関わるより先にラボでたくさん話をしたという（笑）。町野は最初の印象が記憶にないな。

町野 ええっ!?

山田 ほんとに覚えてない。だって最初の頃、自分のキャラを出してなかったでしょ？

町野 出してないです。様子を見てました。

大橋 確かにキャラ出してなかった。

山田 沖縄キャンプの時の町野の印象といったら、最初の試合でヘディングだけで5点取ったという話を聞いたことぐらい（笑）。それはすごいなと思ったけど。

町野 最近はヘディング外しまくってますけどね（笑）。

——当初は隠していた町野選手のキャラクターは、今はどうなんですか？

町野 あ、出てます。出ちゃってます。

——実際はどんなキャラなんですか？

山田 まあ、大槻周平（現千葉）みたいな感じですね（笑）。関西系のノリで周りを巻き込もうとするんだけど、結果的に一人ではしゃいでいる感じです。身内はそのキャラを分かっているんですけど、外では全然出さないから、みんなたぶん分かってないですよね。内弁慶なんですよ。

町野 内弁慶！　意味調べました（笑）。

——大橋選手はどんなキャラですか？　天然なイメージもありますが。

大橋 いやいや、僕はこのチームで天然みたいなキャラクターじゃないですよ。

山田 大橋はけっこう頭がいいキャラですよ。

町野 確かに。

山田 現にたぶん湘南の中ではけっこう頭がいい。

町野 英語できるし。

大橋 いや（笑）。

山田 英語ができるかは分からないけど、でもやってるし（笑）。

——チームの戦いについて聞かせてください。守備について、前線の約束事は？

山田 2トップが相手のパスコースを制限して、3ボランチが相手にぶつかりに行ったり、2トップが最初の守備のスイッチを入れたり、それは相手や戦い方によって毎回違います。ベルマーレはもともと全員攻撃・全員守備なので、点を取られないのも全員のおかげだし、点を取れないのも全員の責任。その意味では、今年はみんなが自分のタスクをしっかり理解して、守備に関してはよくできているのかなと思っています。

——守備面でそれぞれ心掛けていることは？

大橋 相手のパスコースをどう制限していくか、どう連動するか。その時々に応じて、メリハリをつけて、というのは意識しています。うまく攻撃につなげられる守備がもっとできたらいいなと思っています。

町野 最近は途中交代することが多いので、体力を残さず倒れるぐらいまでやろうと思って走ってますね。

山田 湘南では、特に前線の選手は90分持たせようと思わなくていいよ。最初から飛ばしていい。3人交代の時でもFWが代わることがほとんどだったから。

町野 そうですね。

——オールタイムプレスではなくなり、プレッシャーに行く・行かないの使い分けが求められる中で、タイミングは共有できていますか？

山田 そこは2トップの腕の見せどころかなと僕は感じているんですよね。行くタイミングや後ろがそろっているかどうかを感じ取って、今は行かないほうがいい、今は行けるというのを判断する。後ろが声を出すのもいいんですけど、それだと一瞬遅れるので、おーちゃんだったりマチだったり、前の2人がしっかり（スイッチを）入れてくれている時はうまくいく。うまくいかない時はタイミングがバラバラな感じがしますね。

大橋 そうですね。うまくいかない時はプレスを簡

僕は一日一日を大事に生きていきます

単に剥がされて相手に押し込まれる時間帯もありますし、ラインがどんどん低くなってしまう時もあるので、毎試合学びながら、今まで以上に連係したい。制限もそうですけど、ファーストディフェンダーなので、自分たちからスイッチを入れることはこれからも心掛けていきます。

――失点を抑えてリーグ戦8試合負けなしを記録するなど一定の結果を残していますが、開幕時と比べて守備の安定感が増している感覚はありますか？

山田 俺は開幕の時とそんなに変わってる気はしないんだけどなあ。どう？

大橋 確かに開幕の鳥栖戦（0-1）はPKの失点だし、次の柏戦（1-2）もクロスでポンポンと決められて。FC東京戦（第5節、2-3）もそうだったね。

山田 そうだね。鹿島戦（第3節、1-3）の時も……。

大橋 （失点は）初っぱなだもんね。あとCKからとか。

山田 そうなんだよね。だからシーズン当初の失点はちょっとした気の抜けが要因だったので、そこがみんな締まったという感じかな。って思うけど、マチはどう？

町野 いやあ……（変化は）分からないです。

山田 そう、だから実際にプレーしている選手たちは開幕から特に変わってないと感じていると思うんですよね。僕はシーズンの初めに「今年のチームはそう簡単にやられない」と言いましたけど、開幕前からそう感じていました。今は、さらに細かい最後の部分をみんなで少しずつ意識できているという感じなのかな。

――守備の局面では、ボールを奪った後の攻撃についてもイメージしていますか？

大橋 プレスをかける時は、まずはボールを奪うことを考えています。（攻撃のことは）取った後に考えます。

山田 俺もそうだね。守備の時に攻撃のところまではさすがに考えられてないです。ボールを取ることに集中してる。

もっと攻撃で絡んでいけたら

――では、攻撃の際に意識していることを教えてください。

町野 敵陣やペナルティーエリアに入るまではなるべくシンプルに少ないタッチでプレーすることを意識しています。ペナルティーエリアに入ったら、一番にアクションを起こすことやクロスをイメージしながら準備しています。

――町野選手は決定機を多く迎えている印象があります。

町野 はい。でも決めていないので……。

――それについて、大橋選手は同じFWとしてどのように見ていますか？

大橋 決定機が多いのは、（チャンスの）来る場所が分かっているから。いいことですよね。

――では、大橋選手が攻撃で意識していることは？

大橋 もちろんチームのスタンダードとしてやるべき守備をやった上で、前の選手なので、ゴールに向かうことを常に思いながら、チャンスをつくることを意識してプレーしています。その中で、周りをしっかり見たり、うまく使ったりすることが自分のこれからの課題かなと思っています。

――大橋選手はチームの中で最もシュート数が多いですね。

大橋 もともとケガする前はシュートに自信があるタイプだったので、今もそのままの勢いで打っているという（笑）。

山田 （笑）。いや、シュートうまいんですよ、練習の時は。だからなんで試合では入らないのか、よく分からない。

大橋 まだ自分のシュートの感覚じゃないんですよね。

山田 ああ、そうなんだ。

大橋 イメージしたところに行く回数がまだ足りないので、もっと修行します。

FW #17
Ohashi Yuki

FW #33
Machino Shuto

イメージを覆せるように自分が決めて勝ちたい

山田　でも、過去の感覚を追い求めないほうがいいよ。これは大ケガした経験のある俺からの助言（笑）。過去の自分は追い掛けないほうがいい。

大橋　そうですね。続けていくことでそういう感覚も新たにできると思うし、ボールタッチだったり周りを見ることだったり、シュート以外のプレーに関しても続けていけば向上すると思うので、まずはそこですね。

──攻撃について、山田選手が意識していることは？

山田　さっき守備の時は攻撃のことを考えてないと言ったけど、攻撃の時には守備のことを考えているなと今思って。ボールを取られた時のバランスはどうだろうという考えが先行してしまっている感覚が自分の中にあるから、もう少し攻撃に比重を置いてもいいのかなと思いつつ……。チームの得点数を増やすためには、僕のポジションの選手がもっと前に絡んでいかないといけないんだろうなと思うし、攻撃に限って言えば、もっとゴールの近くでプレーしなければいけないと感じています。

──常に守備が頭にあるのは、チームを背負っている責任感の表れに思えます。

山田　そうですね。メンバーの中で自分が最年長の試合もけっこう多くなってきて、勝負の責任を負わなければいけないと感じているので、その部分でちょっと守備に比重を置き過ぎているのかなと思うところはあります。でも、今までにない手応えを守備のところで感じているから、今の状態が嫌だという気持ちは全然ないですね。経験を積んで良くなったところでもあるので、今の状態プラスもっと攻撃で絡んでいけたら最高だろうなと思います。まあ、もっと走って、攻撃にも守備にももっと参加すればいいんですけどね。

──けっこう走っていると思いますが。

山田　いや、まだまだ走れます。

大橋　まだまだ若いからな。

山田　いや、もう若くはないんだよ（笑）。だって町野は今年22歳でしょ？

町野　22っす。

山田　9歳下だよ。若いよね。毎回思う。

大橋　いいよなあ。ちょっと老けてるけど。

山田　23歳までは自由にプレーしていいでしょ。

大橋　俺は24だからダメ？（笑）

山田　24歳から28歳まではちょっと考えて（笑）。そこから上はもっと考えないといけなくなるから。

──3人が絡んだ攻撃で印象に残るシーンはありますか？

山田　……3人って難しいよね（笑）。でも大橋と町野が2人で崩しているシーンは、ゴールに結びついていなくても、けっこう印象に残ってるね。大橋がクロスを上げて町野がダイビングヘッドした神戸戦（第10節、0-0）とか、大橋がヒールで落として町野がシュートを打ったけど弾かれたマリノス戦（第7節、1-1）とか。

町野　やっぱり俺やねんな……。

山田　（笑）。でも2トップであと入れるだけのところまで行ってるのは、いい関係だなと後ろから見ていて感じるよ。

──第8節名古屋戦（0-0）では、山田選手が奪ったところから大橋選手を経由して町野選手がGKとの1対1になったシーンもありました。

町野　ああ、一番アカンやつや（笑）。

山田　あれは入れないとダメ（笑）。入れないとというか、枠には入れてほしかったね。

町野　そうですね。

練習から準備は始まっている

──得点力を上げるために必要なことは？

大橋　練習からシュートを外すことがけっこうあるので、その回数をどんどん減らして、なおかつ試合をイメージしながらやることだと思います。

町野　いやあ、ほんと僕が決めていたらたくさん勝点を取れているのに……。やっぱり大事なのは準備

かなと思います。おーちゃんからのクロスも来ると思っていなかったと思うし、名古屋戦も……。

大橋　名古屋戦のシーンは（ボールが不意に流れてきたので）誰も来ると思わないよ。

町野　そう、でもああいう場面で、ペナルティーエリア内に入ったら目つきが変わるようなアラートさが欲しいなと思っています。

大橋　確かに。自分も全然点を取れてないし、町野が言うように、準備がすべてと言えるぐらい大事だと思う。練習から準備が始まっていると思うし、そこがまだまだ足りてないからこそ、ペナルティーエリアに入り込めなかったり、最後の一歩が合わなかったりすると思うので、自分もそこは常に反省しながら、試合中も意識するようにしています。

山田　2人は自分が決めないから勝てないみたいに言ってますけど、決定機の数をもっと増やしてあげれば普通に入るんじゃないかなと僕は思っています。守備については守れているけど、シュートまで行く回数はちょっと減っていると思うんですよ。それを1.5倍にすれば、もう少しFWは落ち着けると思

う。今は回数が少ないから「これを決めなきゃ」という気持ちになってしまうし、僕も（チャンスが）来た時にそう思ってしまう。シュートを打つ回数をもっと増やす持っていき方は僕ら中盤の仕事。でも（チャンスは）決めろよ、とは思います。

──叱咤激励も込めて。

山田　そうですね。湘南は、「誰が」ではなく「誰かが」得点を決めて勝つチームなので、一人で10点も入れろとは言わないので。

──今の話で言うと、大橋選手はシュート数が徐々に減っているように思います。

大橋　そうですね、最近シュートは少ないです。まあそれもいろいろ理由はあると思いますけど……頑張ります。

山田　意識的に減らしているの？

大橋　いや、減っちゃってる。それは良くないことだと思うんですけど、なんだろうな、守備との関係で位置が低いとか、例えば名古屋戦なら1人少なくなった影響もあるし、マリノス戦はアップダウンが激しいとか、いろいろな要因がある中で、ゴール前

山田直輝（やまだなおき）
1990年7月4日生まれ、埼玉県さいたま市出身。168cm、64kg
北浦和サッカースポーツ少年団 ▶ 浦和レッズジュニアユース ▶
浦和レッズユース ▶ 浦和レッズ ▶ 湘南ベルマーレ ▶ 浦和レッズ ▶
湘南ベルマーレ　※2008年浦和レッズトップチーム登録

大橋祐紀（おおはしゆうき）
1996年7月27日生まれ、千葉県松戸市出身。180cm、74kg
常盤台SC ▶ 柏イーグルス ▶ ジェフユナイテッド市原・千葉U-15 ▶
千葉県立八千代高校 ▶ 中央大学 ▶ 湘南ベルマーレ
※2018年JFA・Jリーグ特別指定選手（湘南ベルマーレ）

でボールに触る機会は少なくなってる。そこは、どうしたらもっとゴールに近づけるか毎試合考えながらやっているので、これから徐々に増やしていけたらと思います。

——山田選手の過去の歩みを振り返った時に、シーズンの出だしとしては、今シーズンは一番と言えるのでは？

山田　そうですね。プロ人生、2009年からだから……今年13年目かな。出だしとしてはその中で一番いいですね。

——大橋選手もプロ3年目の今シーズンは開幕からケガなく出場を続けています。

大橋　今年がプロ1年目だと思ってます。

山田　え、シーズンの最初からやるのは初めて？

大橋　1年目はゴールデンウイークまでサッカーをしていました。去年もケガをしていたので、5月、6月、7月とサッカーをやったことがない。

山田　じゃあ真夏にやったことがないんだ。

大橋　ないんです。だから今年は未知の月に入ってきました（笑）。頑張ります。

町野修斗（まちのしゅうと）
1999年9月30日生まれ、三重県伊賀市出身。185cm、77kg
FC 中瀬 SS ▶ FC アヴェニーダソル ▶ 履正社高校 ▶
横浜 F・マリノス ▶ ギラヴァンツ北九州 ▶ 湘南ベルマーレ

——町野選手もJ1再挑戦としては悪くない出だしでは？

町野　楽しいですね。レベルの高い人たちとサッカーができているので。

——そんな3人の歩みを思うと、それぞれ逆境を経て今があるのかなと感じます。

大橋　山田くんが一番長く生きているので、山田くんにはかなわないです。

山田　いや（笑）。どうなんだろう。でもやっぱり、いつも言いますけど、ケガして苦しい時に応援してくれた人のためにもう1回花を咲かせなければいけないという気持ちはすごく強いです。町野は挫折したと言えるか？

町野　いや、言えますよ。プロ1年目はサッカーしてないですからね。

山田　（クラブハウスが移転して）グラウンドがなくなった時ってこと？

町野　そうですね。だから試合に絡むメンバーがゲームをやって、僕らは枯芝でボール回しをして終わりみたいな。で、ゲームを見るみたいな。

——町野選手が再びJ1にたどり着いた源は、その時の反骨心でしょうか。

町野　ああ、それは大きいかもしれないですね。その枯芝メンバーの中で今年は僕が唯一J1に帰ってきたので。それはちょっとうれしいですね。

山田　マリノス戦にもスタメンで出たしな。

町野　はい。幸せでした。（ゴールを）決めたかった。

——それぞれ悪くないスタートを切った今シーズン、ここからどんなプレーを見せていきたいか、最後に聞かせてください。

町野　得点力がないと言われているので、そう思っている人のイメージを覆せるように、自分が決めて勝ちたいと思っています。

山田　今から何点決めてくれる？

町野　合計10点決めたいですね。いや、取ります。

大橋　僕は一日一日を大事に生きていきます。いつもつまずいて、（それでも）なんとかやってきているので。

山田　うん、やっぱり1試合1試合という感覚かな。僕の中で今年は今まで過ごしてきたサッカー人生と何か違う感覚があって、1年後に笑っているのか泣いているのかは自分に責任があると感じています。最後に最高に笑えるために、今から1試合1試合、今からというか開幕から全力で戦っているので、それを続けていくだけだと思っています。

最近うれしかった出来事は？

試合に勝ったこと以外で最近うれしかったことについて全選手に聞いてみました。

選手写真＝湘南ベルマーレ　Photography by Shonan Bellmare

1 GK
谷 晃生
Tani Kosei

（岡本）拓也くんのJリーグ通算200試合出場達成にしときます！（笑）。

3 DF
石原広教
Ishihara Hirokazu

おいしいメロンパフェを食べたこと。

4 DF
舘 幸希
Tachi Koki

甥っ子と姪っ子ができたこと。

5 MF
古林将太
Kobayashi Shota

子どもたちと遊んでいる時が一番うれしい！

6 DF
岡本拓也
Okamoto Takuya

じゃあ僕は（石原）広教のJリーグ通算200試合出場達成で（笑）。

7 MF
梅崎 司
Umesaki Tsukasa

娘の授業参観に初めて参加！いつかは「パパ来ないで」と言われる日が来ると思うと、勉強している姿を見れて良かったし、小さく手を振ってくれてパパ感激！

8 DF
大野和成
Ohno Kazunari

瑛太（長男）のおもちゃを叶馬（次男）が壊し、瑛太が叱って叶馬が泣く。怒り過ぎてしまったと叶馬より泣く瑛太の優しさ（笑）。

9 FW
ウェリントン
Wellington

日本に戻りJリーグでプレーできていること。大好きな国だからです。

10 MF
山田直輝
Yamada Naoki

最近うれしかったことって聞かれるとピンと来ないけど、日本最高峰のJ1でベルマーレの選手の一員としてサッカーができることと家族で楽しく過ごせていることが何よりうれしいかなあ。

11 FW
タリク
Tarik

子どもが生まれました！

13 FW
石原直樹
Ishihara Naoki

子どもが小学校のスポーツデイの徒競走で1位になったこと。

14 MF
茨田陽生
Barada Akimi

次男（3歳）が補助輪なし自転車に乗れたこと！

16 DF
山本脩斗
Yamamoto Shuto

松山英樹選手がマスターズで優勝したことに感動！

17 FW
大橋祐紀
Ohashi Yuki

コーヒーメーカーを使って淹れたコーヒーを飲んだら想像以上においしかったこと！

18 MF
平松 昇
Hiramatsu Sho
姪っ子が生まれたこと。

25 MF
中村 駿
Nakamura Shun
子どもが「パパ」と呼んでくれた
こと！

31 GK
立川小太郎
Tachikawa Kotaro
天皇杯でPK戦が終わった時に
みんなが寄ってきてくれたこと！

19 DF
毛利駿也
Mouri Shunya
練習後の補食にカステラが追加
されたこと。

26 DF
畑 大雅
Hata Taiga
ガリガリ君で当たり棒が出た！

32 MF
田中 聡
Tanaka Satoshi
教習所の実技で車を運転したこ
と。楽しかったです！

20 MF
名古新太郎
Nago Shintaro
寝室の模様替えでベッドを動か
したら思った以上に部屋が広く
見えたこと！

27 FW
池田昌生
Ikeda Masaki
モンハンでヤーマン（山田直輝）
と（高橋）諒くんと強いモンス
ターを倒したこと。

33 FW
町野修斗
Machino Shuto
雨が続いている中、やっと晴れ
て天日干しができたこと。

21 GK
堀田大暉
Hotta Daiki
ヘルニアから復帰して思いっき
りボールを蹴れたことです！

28 MF
平岡大陽
Hiraoka Taiyo
友人が試合を見に来てくれた
こと。久々に再会できてうれし
かったです。

39 FW
ウェリントン
ジュニオール
Welinton Junior
日本でプレーをする夢をかなえ
たことです。

22 DF
大岩一貴
Oiwa Kazuki
久しぶりに会った（鈴木）冬一の
キャップがカッコ良かったこと。

29 MF
三幸秀稔
Miyuki Hidetoshi
めっちゃかわいい誕生日ケーキ
をもらったこと！

40 MF
オリベイラ
Oliveira
両親が新型コロナワクチンを接
種したことです。すごく安心し
ました。

23 GK
富居大樹
Tomii Daiki
子どもがごはんをいっぱい食べ
るようになったこと！

30 MF
柴田壮介
Shibata Sosuke
誕生日に久しぶりの友達から連
絡が来たこと。

42 MF
高橋 諒
Takahashi Ryo
ヤーマンと（池田）昌生とゲーム
をして、めちゃくちゃ強いモンス
ターを討伐したこと。うれし過
ぎて雄たけびを上げました！

Tani Kosei
Ishihara Naoki
Barada Akimi

[鼎談] 谷 晃生 × 石原直樹 × 茨田陽生

2年目の決意

2003年〜2008年に在籍して昨年復帰を果たした石原直樹。
昨年からチームの一員となった茨田陽生と谷晃生。
"湘南2年目"の3人が現在感じていることを明かした。

取材・文=大西 徹　Words by Onishi Toru
写真=兼子慎一郎、大西 徹　Photography by Kaneko Shin-ichiro, Onishi Toru

年齢を聞いてびっくりしました

——ベルマーレに復帰して2年目の石原選手、そして加入2年目の茨田選手と谷選手に来ていただきました。石原選手と茨田選手は初めて出会った時の記憶はありますか？

石原　最初はレイソルの選手として知ってましたけど。

茨田　そうですね。ナオさんで一番印象的なのは広島の時かな。出会ったというよりは、対戦して客観的に見ていた印象ですね。

——調べたところ2011年4月23日にJ1第7節大宮対柏で対戦しています。

石原　そうですか。2011年に。

茨田　全然覚えてないですね（笑）。

石原　柏や大宮でのゴールシーンは印象にありますね。

谷　俺、小学生なんだけど。

茨田　ハハハ。

谷　俺、小学校5年生です。

茨田　小学5年生（笑）。

石原　マジか？

茨田　そんな下なの？

——ちなみに9歳差ですね、茨田選手と谷選手は。

茨田　えっ、9歳差？

石原　えっ、この2人？

——石原選手とは16歳差です。

石原　やばいなあ、16歳だよ。

谷　16歳、やばいっすね。

茨田　すごいなあ、見えないなあ。

——石原選手と茨田選手が初めて会話をしたのはベルマーレに入ってからですか？

石原　ベルマーレに入ってからですね。家が決まってなくて、お互いホテルだったので。まあそんなに大した話はしてないですけど、そこで会話をしたの

GK #1
Tani Kosei

少しずつ良くなっているのを感じています

は覚えてますね。

茨田 広島や浦和で活躍していたナオさんとホテルで擦れ違った時は、同じチームメートながら、「石原直樹さんだー」「オーラあるなあ」みたいな感じの第一印象でした（笑）。

——では、茨田選手と谷選手が初めて出会ったのは去年ですか？

谷 去年です。僕はバラくんを選手としても知ってましたし、大宮の時の印象が強いですけど。「これが茨田かあ……」って感じでしたね。

茨田・石原 ハハハ。

——茨田選手はどうでしたか？

茨田 コミュニケーションの取り方とか立ち居振る舞いに年齢を感じさせない堂々とした印象を受けました。年齢を聞いて、そんなに若いんだってびっくりしましたね。

谷 俺、去年、遅れてきたじゃないですか。スペインキャンプで。

茨田 うん。途中から。空港で初めて会ったのかな。

谷 そうです、そうです。

——空港ということは、スペインに行く時に。

茨田 そうです。

谷 で、スペインキャンプでしゃべったのを覚えてて。ご飯を食べてる時に「えっ、今年からなの？ 湘南」って言われたの、めっちゃ覚えてる。

茨田 ああ、そう。よく覚えてるね。いや、しゃべりかけられた感じが、もうなんか湘南に2、3年いるようで堂々としてたから。「えっ、今年から？」って聞いて「えっ、そうなの？」みたいになったの俺も覚えてる。

谷 ハハハ。覚えてます？

茨田 覚えてる、覚えてる。年齢も若いし、見た目とのギャップがあり過ぎて（笑）。

——ちなみに茨田選手はベルマーレ公式サイトのアンケートで、「無人島に連れて行くなら」という質問に「谷晃生」と回答しています。

谷 マジですか？

茨田 ハハハ。

——今初めて知りましたか？

谷 初めてです。なんで俺なんですか？

茨田 えー、なんか、守ってくれそうな（笑）。

谷・石原 ハハハハハハ。

石原 平気な顔で裏切ると思うよ（笑）。

茨田 マジっすか？ うっそー。まだそこ見抜けてないわ（笑）。

谷 ハハハハハハ。

石原 バラだけじゃなくて、たぶん年上であろうが同い年であろうが、自分が一番に進んでいくタイプだなと、普段接しててそう感じる（笑）。

——谷選手、そのあたりは反論しなくていいんですか？

谷 う〜ん、まあでも、そうなんじゃないですか。

石原・茨田 ハハハハハハ。

谷 ナオさんがそう言うなら、そうなんじゃないですかね（笑）。

一緒にできるなんて思ってもなかった

——谷選手と石原選手の出会いもやはり去年ですか？

石原 去年ですね、僕も。晃生はアンダー世代の日本代表に入ってるんで、僕も広島で3年間指導して

谷 晃生（たにこうせい）
2000年11月22日生まれ、大阪府堺市出身。190cm、84kg
TSK 泉北 SC ▶ ガンバ大阪ジュニアユース ▶ ガンバ大阪ユース ▶
ガンバ大阪 ▶ 湘南ベルマーレ
※2016年、2017年ガンバ大阪トップチーム登録
※2018年ガンバ大阪プロ契約（高校3年時）

試合に絡んでゴールも狙っていきたい

もらったコーチのことを最初にちょっと話した記憶がありますね。

──共通の知り合いがいたということですね。

石原　そうですね、はい。

──その時の印象は？

石原　すごく落ち着いてて、まだちょっと谷晃生を引き出せてなかったです。

谷・茨田　ハハハ。

石原　その当時はまだ気を使ってくれてた感じでしたね（笑）。

──谷選手、石原選手の第一印象はいかがでしたか？

谷　ずっとちっちゃい頃からJリーグを見てて、ずっといる人というか、ずっと活躍してるのを見てきてるんで。

茨田　間違いない。ホントそう。

谷　まさか一緒にできるなんて思ってもなかった。自分が湘南に入ることになって、ナオさんが湘南に来るっていうリリースを見て、一緒にできるんだって感じでした。

──そうだったんですね。では続いて、石原選手のプレーですごいと思うところを、茨田選手と谷選手にお尋ねします。

茨田　身長は僕よりちょっと高いぐらいで、FWをやってる中で、デカいセンターバックを相手に体をしっかりと入れてキープする、その体の入れ方とか体の当て方は、ホントすごいなって思います。そういうところは常に見て学ばせてもらってますね。

谷　俺がバーンって大きく蹴ったボールもちゃんと収めてくれます。シュート練習でもめちゃめちゃ駆け引きをしてくるので、それがすごく楽しいですね。

──石原選手、お二人の説明に補足はありますか？

石原　いや、年齢的にもこんなふうに言われることがなくて、いろいろ指摘してくれるのは奥さんぐらいなんで。チームメートからそう言われてうれしいです。晃生が言った駆け引きでいうと、僕は実際けっこうやりづらくて、試合だったらたぶん入るんじゃないかと思うコースでも、練習で癖や間合いで止められることがあるから、ちょい自信がなくなりますね。

谷・茨田　ハハハハハ。

石原　だから駆け引きはやめてほしいなって思います。

谷　ハハハ。う〜ん、まあ（笑）。

石原　まあ楽しむことが大事です（笑）。

──続いて、茨田選手のプレーのここがすごいというところを、石原選手と谷選手からお願いします。

石原　すごく考えてプレーしてるなっていうのは伝わってきますね。自分があるんですけど、周りにも合わせられる。そういう能力は持ってるなって周りから見てても一緒にプレーしてても感じますね。

──しっかり周りを見ていると。

石原　そうですね。状況によってポジションを変えたり、今何をすべきかを考えたり、的確にプレーしてる印象ですね。やっぱり流れや展開によって立ち位置を微妙に変えていくのは、経験がないとできないことなので、頭を使ってプレーしているなって感じますね。

谷　ホントそのとおりだと思います。試合の状況や流れを読んで的確にプレーしてくれるんで、チームが落ち着きます。五分五分のボールもうまくマイボールにしてくれるので、いてくれると安心しますね。

石原直樹（いしはらなおき）

1984年8月14日生まれ、群馬県高崎市出身、173cm、64kg

高崎西 FC ▶ 高崎市立片岡中学校 ▶ 高崎経済大学附属高校 ▶ 湘南ベルマーレ ▶ 大宮アルディージャ ▶ サンフレッチェ広島 ▶ 浦和レッズ ▶ ベガルタ仙台 ▶ 湘南ベルマーレ

Kaneko Shin-ichiro

FW #13
Ishihara Naoki

53

MF #14
Barada Akimi

常に強度を高く持ってプレーしたい

――茨田選手、お二人の話を聞いていかがですか？

茨田 うれしいです、うれしいです、うれしいです。ホントに。ただただうれしいです（笑）。

――ポジションはサイドボランチですが、かなり前まで上がっている印象を受けます。

茨田 そうですね。攻撃的なボランチですし、守備のほうにも力を注がなきゃいけないポジションですね。いろんなことを任されるようなポジションです。

――続いて、谷選手のプレーのここがすごい、というところも伺いたいと思います。先ほど石原選手から駆け引きという話がありましたが、その他にはいかがでしょうか。

石原 やっぱりクロス対応ですね。守備範囲がとても広いので、チームとしても助かります。あとは性格がいいですね。怒ったりするのではなく、ポジティブに声掛けができるのはすごいところだなと思います。いろいろな選手を見てきてますけど、やっぱりポジティブな声を掛けられるのは、すごく大切なことだなって。

茨田 1対1のシュートストップは、チームを助けてくれる晃生の武器です。今年も晃生に何度も助けられて、落とさなかった試合も多くあるんで。あとナオさんが言ったように性格ですね。常に前向きな姿勢というのは、チームを後ろから支えて盛り上げる意味でも非常にいいと思います。

谷 それが一番うれしいですね。もちろん時には怒ったりするのも必要だと思います。けど、自分じゃなくてもたぶん他の人が言ってくれるので、終わったことは仕方ないですし、いいふうにしていくしかないので。そういうところを見てくれてるのは、すごくうれしいです。

誰かが活躍すればすごく刺激になる

――今シーズンの数カ月を振り返ってみて、どんな手応えをつかみましたか？

石原 みんな普段の生活でいろいろ我慢したり縛られたり、リズムをつかむのがなかなか難しい中で、サッカーに関しては去年の経験がすごく生きてるのかなと思います。

――積み上げがあるということですね。

石原 そうですね。去年だったら崩れてしまうような場面でも、しっかり意思統一ができていて、結果として勝点を拾えてるのは、去年の反省が生きてるからだと思います。去年の順位は最下位でしたけど、いろいろチャレンジして、勝点を拾うというよりも、何をすべきか見つめ直せるいい時間でした。しっかりチームとして出来上がってきてると思います。

茨田 そうですね。ナオさんも言ったとおり、去年の反省を生かして、ここまでちゃんと勝点を積み上げてきてると思います。ただ僕自身は反省を生かし切れてないですね。去年は前半戦になかなかチームに関わることができなくて、後半戦はある程度関わることができました。今年もなかなかチームのためにプレーできず、コンディションを上げられず、反省を生かし切れないまま来ています。まずはコンディションを上げて、試合に出られるようにしっかりと準備したいなと思います。

谷 最初は連敗から始まりましたけど、僕個人としてもチームとしても、少し難しくて悩む期間だったのかなと思います。ただ、一試合一試合、今もそうですけど、チームとしても僕個人としても成長しな

茨田陽生（ばらだあきみ）
1991年5月30日生まれ、千葉県浦安市出身。173cm、68kg
FC浦安ブルーウイングス ▶ 柏レイソルU-12 ▶ 柏レイソルU-15 ▶
柏レイソルU-18 ▶ 柏レイソル ▶ 大宮アルディージャ ▶
湘南ベルマーレ　※2009年柏レイソルトップチーム登録

がら試合ができているのはいいことです。まだ伸びるなっていう感覚を持って今もやれていますし、チームとしても僕個人としても課題に向き合いながら、少しずつ良くなっているのを感じています。

——GKとして与えられている役割については、去年と比べて何か変化はあるのでしょうか。

谷 そこまで変わらないですけど、レギュレーションで降格があるのは大きな違いだと思います。やっぱり一つひとつのプレーとか、一試合一試合の重みに関しては、明らかに昨シーズンとは違うところですね。

——茨田選手はいかがでしょうか。与えられている役割という面で去年と変わっている部分はありますか?

茨田 ないですね。去年と同じように、常に強度を高く持ってプレーしなきゃいけないですし、できるだけ90分間続けるのが、去年と変わらず求められていることかなと思います。

——強度というのは、球際であったり。

茨田 球際の部分だったり、守備の部分もそうですし、攻撃の部分も。強度を持って、上がっていったり走っていったりボールを蹴ったり、そういうところ

は変わらず求められています。

——そうなんですね。石原選手は去年の役割と比べていかがでしょうか。

石原 役割はそんなに変わってはないですけど、僕自身ちょっとコンディションが上がらず、そこは練習で改善していこうと思いました。

——まずはコンディションを徐々に上げて。

石原 今はそういう気持ちでやっています。試合に出てプレーした時に、ちょっと「あれっ?」って思うことがあったので。リーグや天皇杯で試合に出てしっかりいいプレーができるように、練習に取り組みたいと思っています。

——チーム内の競争が激しくなる中、石原選手と誰かがコンビを組んで前線に立つのを楽しみにしているファンがたくさんいると思います。

石原 そうですね。今はすごく人が多いですけど、みんなそれぞれ持ってるものは違うと思います。その組み合わせやバランスもそうですし、誰かが活躍すればすごく刺激になりますし。まあ今はFWがなかなか結果を出せていないので、FWの選手はみんな意識してると思います。そういうところは変えていけたらいいなと思いますね。

指導を受けないと自己流では限界かな

——ベルマーレ公式サイトのアンケートで「今チャレンジしてみたいこと」という質問に、石原選手は「フォーム改善」、茨田選手は「パソコン」、谷選手は「ゴルフ」と回答していましたね。

全員 ハハハハハ。

——石原選手のフォームというのは……。

石原 晃生と一緒でゴルフです。

全員 ハハハハハ。

谷 スライスするから。（※ボールが利き手の方向に曲がって飛ぶこと）

石原 そう。今よりスコアを上げるには、たぶん……（笑）。

谷 公式サイトの写真もゴルフにしましょう（笑）。

石原 たぶんフォームの指導を受けないと、自己流では限界かなって。スコアを伸ばすには、もうちょっと改善が必要だし、誰かの指導が必要だなと思っています。

茨田 ハハハハハ。

石原 もう完全にスライスすることを分かって打っちゃってるんで。それだとたぶん今以上いいスコアは出ない。ゴルフに関しては伸びしろがまだたくさんあると思います。何かきっかけがないと、同じ場所を行ったり来たりしてるだけかなと。

谷 去年、ナオさんたちの話を聞いて、ちょっとやりたいなあと思って。先輩たちの中に入って一緒にやりたくて始めたんですけど、今はなかなか行けないですからね。

石原 もうちょっと落ちついてから、晃生のように新たに始める人も一緒に、みんなで行きたいです。

——茨田選手はパソコンにチャレンジしたいと。

茨田 MacBookを買っちゃったんで（笑）。

谷 使ってます？

茨田 使ってない（笑）。買っちゃったんでやんなきゃ、使ってあげなきゃみたいな感じです。

——ありがとうございます。最後に今後の抱負をお願いします。

谷 まず今年、ベルマーレには勝点50で1桁順位という目標がありますし、個人としてもチームに貢献できるだけのパフォーマンスをしっかりしないといけないと思っています。

茨田 今年はやっぱり去年の最下位という順位を踏まえて、目標に掲げている勝点50もそうだし、J1に残ることがベルマーレにとって大事なことだと思います。ベルマーレのために力を尽くして、いい順位に行けるように頑張っていきたいです。

石原 チームとして立てた目標を目指すことと、個人的にはもうちょっと試合に絡んでゴールも狙っていきたいなと思っています。 SB

Nago Shintaro
Nakamura Shun

対談 名古新太郎 × 中村 駿

それぞれの武器で
チームを支える

今シーズン、湘南ベルマーレの一員になった名古新太郎と中村駿。
名古はドリブル、中村は運動量と正確なキックを武器に、
開幕から存在感を発揮し、不可欠な戦力になっている。
チームとしての戦いぶりにも、手応えを感じているようだ。

取材・文＝池田敏明　Words by Ikeda Toshiaki
写真＝兼子慎一郎、木村善仁（8PHOTO）
Photography by Kaneko Shin-ichiro, Kimura Yoshihito（8PHOTO）

新太郎に点を取られて負けた

――今シーズンの湘南ベルマーレで初めてチーム
メートになったと思いますが、まずはお互いの第一
印象を教えていただけますか。
中村　新太郎は、あまり自分からはしゃべらない感
じで、けっこう静かでした。こちらから話し掛けれ
ば返してくれるし、しゃべってみたらけっこう普通
に話せるな、という感じです。
名古　駿くんは、最初からいろいろな選手としゃ
べっていた記憶があります。年長者というのもある
と思いますが、優しくて周囲に気を使える人なのか
な、と思いました。後輩にもよく話し掛けている感
じがしましたね。
――意識的にそうされていたのでしょうか。
中村　いや、何も気にせず自然にやっていました。
加入する前から、自分が意外と年長の部類に入ると

いうのは分かっていたので、自分から行ったほうが
いいのかな、とは思っていました。
――第一印象とは違う一面は垣間見えましたか？
名古　ロッカーが隣なんですけど、普段、そんなに
めちゃめちゃしゃべるわけではないんですよ。でも、
変わらず優しいです。ずっと優しいです。
中村　新太郎は、サッカーだとめちゃめちゃ冗舌で
す。それはいい一面だと思います。
――お2人は3学年違いで、中村選手が駒澤大学、名
古選手は順天堂大学の出身です。共に関東の大学
ですが、当時、対戦したことはあるのでしょうか。
中村　俺にとって関東大学リーグの最後の試合（※）
が順天堂大との対戦で、新太郎に点を取られて負け
たんですよ。
名古　（笑）。俺、2点取ったんですよね。俺らはイン
カレ（全日本大学サッカー選手権大会）のプレーオ
フ出場が懸かっていたんですよ。
中村　そうそう。俺らは下位に低迷していて、その

MF #20
Nago Shintaro

リーグ戦での1桁順位を目指していきたい

前の節でギリギリ残留できたんですけど、順天堂大に負けて3連敗でシーズン終了……もう地獄でしたよ、あの試合は(苦笑)。懐かしいな。

名古 あの試合のことは僕もよく覚えています。お互いに意地があったので、戦う前からすごく激しい試合になるというのは分かっていましたし、両チームとも相当、気合が入っていました。勝ってインカレのプレーオフ進出が決まったので、すごく印象に残っています。

※2015年11月14日の第89回関東大学サッカーリーグ戦1部第22節、順天堂大が3-1で勝利。両者共に先発出場し、名古は77分と83分に得点を決めている。

―― その試合でのお互いのプレーについては覚えていますか?

名古 僕は1年生だったので、相手のことはあまり考えず、自分のプレーに集中していました。どんな選手がいるかはあまり気にしていなかったので、駿さんのこともよく覚えていないんですよね。

中村 新太郎は「静学(静岡学園高校)だな〜」という感じでしたね。順天堂大には静学出身の選手が多いんですが、そのプレースタイルを受け継いでいるな、という印象でした。

―― では、現在のお互いのプレーについて、あらためて印象を聞かせていただけますか?

中村 新太郎は自分の与えられたポジションの中、その時々で最適なプレーの選択肢を毎回、チョイスしている感じです。どのポジションでも点を取れますし、数字を残せる選手という印象です。あとはやっぱりドリブルが印象的ですよね。

名古 普通です。

中村 普通ではないだろ(笑)。狭い空間でも嫌がらず、俺だったらスペースの広いほうに行ってしまうんですけど、狭いスペースでも全く苦にしていないというのは見ていて感じます。

名古 駿くんはまず運動量がすごいですし、基本的な技術もものすごく高いです。チームを落ち着かせ

る力も高いので、駿くんにボールが渡ったらチーム全体が落ち着いてプレーできます。

もっともっと打開していきたい

―― ベルマーレの公式サイトにさまざまなアンケートが掲載されています。その中の「自分のストロングポイント」について、中村選手は「キック、運動量」と回答しています。

中村 運動量は自分の一番大事にしている部分でもありますし、大学時代に培ったものでもあるので、自分のストロングポイントにしています。キックに関しては、セットプレーでのアシストだったり、サイドチェンジのボールだったりというところはこだわっていますね。

―― 一方、名古選手は「ドリブル」ですね。

名古 子どもの頃からボールを持つのが好きでドリブルばかりしていました。静学に入ってより精度を高めることができましたね。最後の局面のところは個人で打開できないといけないですし、もっともっと仕掛けないといけないと思っているんですけど、自分にとってはストロングポイントですね。

―― プレー中にお互いの動きで意識している点はありますか?

名古 攻守の両面で、試合中は常にコミュニケーションを取っていますし、こう動いたらこう、という決まりごとがあるわけではなく、試合中に修正しながらやっている感じですね。

中村 僕も特に意識はしていないですけど、もっとゴール前でボールを持たせてあげたいな、というのは思っています。今のところ、なかなかそういう場面をつくり出せていないんですけど。

―― 開幕から4カ月が経過しましたが、ここまでのご自身のパフォーマンスやチームの成績について、どのような手応えをつかんでいますか?

中村 開幕から2試合出てケガをしてしまい、5月上旬に復帰することはできましたけど、まだ自分の

何ができるかを自分の中で明確にしていきたい

良さはこのチームで全部出せているわけではないと思っています。もっとボールを触って、ボールを動かしていかなければならないポジションなので、そこは高めていきたいですし、守備の場面では周囲の味方と3人で距離を保つというのは、できているシーンもありますけど、90分間を通してみると難しい部分もあるので、そこはチームメートともっと話しながらやらなければいけないと感じています。

名古 個人としては、今までやってきたものとはポジションもチームも変わっているので少し難しい部分はありましたけど、今、試合に出させてもらっている中で、少しずつですけど自分のやりたいことを出せるようになってきましたし、自分のポジションで果たすべき役割を理解できるようになってきました。ベースにあるのはチームが勝つために何をするか、ということですけど、その上で、個人でもっともっと打開していきたいですし、数字の面でももっともっと点を取らないといけないと考えています。チームとしてさらに良くなっていくという手応えはあるので、個人としても楽しみですね。

——中村選手にとってはキャリア初のJ1リーグでのプレーになりますが、戸惑う部分はありませんでしたか？

中村 確かに、細かい部分でのスピード感はJ2リーグとは違うと思いますけど、そこまで差があるかと言われたらそうは感じていないですね。もっとやれるな、という感覚はあるので、それをピッチの中で体現しないといけないな、とは思っています。

——名古選手は第4節仙台戦（3-1で勝利）でリーグ戦初ゴールを記録しました。得点への意識は高く持っているのでしょうか。

名古 一番、分かりやすい結果がゴールですし、個人としての価値にも関わってくるので、そこは強い意識を持ってやっています。自分がゴールを決めるのも大事ですけど、チームが勝つことが一番、重要なことなので、そこにベクトルを向け続けるようにしています。

湘南っぽいな、と思いました

——ベルマーレに来て印象に残っている試合や出来事があれば教えてください。

中村 けっこう独特というか、前に所属していたチームとはかなり違うトレーニングをやるという印象があります。対人系のトレーニングが多く、1対1や2対2を入念にやるので、自分の能力を成長させるにはすごくいい練習だと思っています。

名古 特定の試合が印象に残っているというより、レモンガススタジアム平塚の芝生が素晴らしいです。めちゃめちゃ雨が降っている試合でも全く水が溜まらず、ピッチ状態をあまり気にせずにプレーできるな、というのは試合中にいつも思っていました。

中村 それは僕も感じます。いつもキレイだよね。ホームゲームはけっこう雨のことが多いんですけど、全然、水が溜まらないんですよ。本当にプレーしやすいです。

——では、湘南地域で生活するようになって驚いたことや感じたことはありますか？

中村 サーフボードを持って自転車をこいでいる人をたまに見かけるんですが、そういう光景は初めて見ましたね。湘南っぽいな、と思いました。

名古 地理的に見ると、都内にも近いですし、箱根や熱海といった観光地にも近いですよね。今はなかなか外出できない状況ですけど、いろいろ生活しやすい場所なのかな、と思います。

——コロナ禍が落ち着いたら行ってみたい場所はありますか？

中村 今はなるべく外出しないようにしているんですけど、海沿いに行くとカフェがたくさんあるので、外に出られる状況になったらカフェ巡りをしてみたいな、と思っています。

名古 僕はどこに行けばいいのかよく分からないので、逆に教えてほしいです。ファン・サポーターの皆さん、オススメの場所を教えてください。

MF #25
Nakamura Shun

――再び公式サイトのアンケートの話になりますが、中村選手は「今チャレンジしてみたいこと」に「教員免許を取りたい」と回答しています。

中村　プロサッカー選手のキャリアが終わった後に自分が何をするかと考えた時、サッカーから離れることはないと思うんですけど、プロの世界からは離れて、中学生や高校生の年代を教えるのがいいかな、と思っていて。その幅を広げるためには、教員免許を持っているほうがいいのかな、と思って書かせてもらいました。自分がサッカーをやっていて一番、成長したのが高校時代だったので、その年代の選手を指導したいなと思っています。

名古　ちなみに、僕は大学時代に中学・高校の保健体育の教員免許を取得しました。順天堂大は教員を目指す学生が多いので、教員免許はけっこうみんな取っていましたね。教育実習は静岡学園に行き、サッカー部の練習にも何度か参加しました。

――中村選手は、大学時代には教職課程は取らなかったのでしょうか。

中村　取りたい気持ちもあったんですが、サッカー部の練習時間と教職課程の授業が重なっていたんですよ。僕はサッカーの推薦で大学に入っていたので、練習を優先させていました。

――子どもの頃に得意だった科目は「社会」ということですが、どの教科を取得したいと思っているのでしょうか。

中村　新太郎と一緒で保健体育がいいのかな、と思っています、ただ、まだ何も行動には移していないんですが。いろいろ考えるのはこれからですね。

――一方、名古選手のチャレンジしたいことは「バンジージャンプ」だそうですね。

名古　人生で一度ぐらいはやってみたいな、という感じです。高いところは苦手ではないです。好きというわけでもないですけど、やってみたいなって。

――そういったチャレンジ系だと、スカイダイビングはいかがでしょうか。

名古　あ、やってみたいですね。

中村　マジで？

名古　いろいろな経験をしてみたいんですよ。1人で世界中を旅するというのもやってみたいですね。

中村　好奇心旺盛やな。

――中村選手はバンジージャンプは？

Kimura Yoshihito (8PHOTO)

名古新太郎（なごしんたろう）
1996年4月17日生まれ、大阪府大阪市出身。168cm、64kg
豊里 SC ▶ 大阪東淀川 FC ▶ 静岡学園高校 ▶ 順天堂大学 ▶ 鹿島アントラーズ ▶
湘南ベルマーレ　※2018年 JFA・Jリーグ特別指定選手（鹿島アントラーズ）

Kaneko Shun-ichiro

中村 駿（なかむらしゅん）
1994年2月24日生まれ、千葉県船橋市出身。178cm、70kg
F.C. MIYAMA EAST ▶ ウィングス SS 習志野 ▶ 習志野高校 ▶ 駒澤大学 ▶
ザスパクサツ群馬 ▶ モンテディオ山形 ▶ 湘南ベルマーレ

中村　いや、大丈夫っす（笑）。高いところは平気だけど、下に落ちるのは無理ですね。他の人がやっているのを見ているだけでいいです。

元気や勇気を届けられるように

──シーズンの約半分の日程を消化したタイミングですが、あらためて2021シーズンの抱負を教えてください。

中村　チームとしていい戦いができていますが、結果を見ると勝ち切れていない試合が多いという印象です。その引き分けが後々、絶対に響いてくると思いますし、それを勝ちにつなげていければ、もっともっと上を見てリーグ戦を戦えると思うので、しっかり勝ち切ることがチームとして一番、必要なことだと思います。個人としては、ケガでの離脱があったので、今後はケガをせず、シーズンを通していいコンディションを保ちながら最後まで戦い抜くことが目標です。個人的にJ1初挑戦ですし、この1年で何ができるかをもっともっと自分の中で明確にしていきたいと思っています。

名古　チームとしては、リーグ戦、ルヴァンカップ、天皇杯と戦ってきた中で、リーグ戦での1桁順位を目指していきたいですね。個人としてはリーグ戦での2桁得点が目標です。あとは駿くんも言いましたけど、ケガをしないように、しっかりシーズンを戦い抜きたいと思っています。

──では最後に、ファン・サポーターへのメッセージをお願いします。

中村　いつも応援ありがとうございます。ファン・サポーターの方々の思いは自分たちに届いていますし、ピッチに立つ選手たちは皆さんの応援のおかげで頑張れています。ここから厳しいシーズンになると思いますけど、これからも僕たちの後押しをしていただけたらと思います。

名古　今はなかなか声を出せない状況ではありますが、毎試合、ファン・サポーターの皆さんの気持ちと応援はすごく伝わってきますし、それが大きな力になっています。まだこういう状況ですけど、自分たちのサッカーで元気や勇気を届けられるように毎試合、頑張るので、ぜひ今後もチームと一緒に戦ってください。

Ohno Kazunari
Oiwa Kazuki
Tomii Daiki

[鼎談] **大野和成** × **大岩一貴** × **富居大樹**

応援を力に変えて

高い守備力を誇る DF 大野和成。空中戦にも強い DF 大岩一貴。
チームのゴールマウスを守る GK 富居大樹。
1989年8月生まれの経験豊富な3人が現在の心境を語った。

取材・文＝大西 徹　Words by Onishi Toru
写真＝兼子愼一郎、大西 徹　Photography by Kaneko Shin-ichiro, Onishi Toru

たぶん誰よりもゴールを狙ってる

――1989年8月生まれの3選手に集まっていただき
ました。最初に大野選手と大岩選手が知り合った
きっかけから教えてください。はっきりと覚えてい
ますか？

大岩　俺、覚えてますよ。

大野　俺も覚えてる。サッカーじゃなかった。

大岩　サッカーじゃない。

大野　食事に行ったら遭遇したみたいな感じ。そう
だったよね。

大岩　若い頃、知人と集まった時に。同世代だか
ら僕は和成のことを知ってたし、和成も僕のことを
知ってて。大人数で集まってご飯を食べてるところ
で一緒になった。いつだろう、けっこう前だよね。

大野　23歳？

大岩　23歳か24歳の頃だね。

――第一印象はいかがでしたか？

大野　第一印象……「これが大岩か」と思いました。

大岩　僕も一緒です。

大野　プロ1年目ですね。

――お二人は2012年6月24日にJ2第21節千葉対湘
南で対戦しています。

大野　ちょっと覚えてないですね。

大岩　僕もあまり覚えてないですね、試合のことは。

大野　最初の印象が強すぎて。最初の頃はそんな
に話してないし、試合の時にしゃべるぐらいで。

大岩　明るいヤツだなっていうのが最初の印象で、
今も同じですね。

――続いて、大岩選手と富居選手は最初に知り合っ
た時のことを覚えていますか？

大岩　たぶん去年、湘南に来てからです。

――2015年5月31日にJ2第16節群馬対千葉で対戦
しています。

富居　それは覚えてます。たぶん群馬が勝った試

DF #8
Ohno Kazunari

お客さんの前でプレーができるのは幸せなこと

合ですね。

―― 千葉の森本貴幸選手が24分に退場して、群馬が江坂任選手（現柏）のゴールで勝っています。

富居　2-0で。

大岩　風が強かった。

富居　強かったね。もともとガンちゃん（大岩）が年代別代表に入っていたんで、そこにいるのは知ってた。

大岩　同い年で大卒だから存在は知ってたけど、しゃべったことは一切なかったね。

―― 昨年から同じチームでプレーするようになって印象は変わりましたか？

大岩　いや、真面目だなあって。

富居・大野　ハハハ。

大岩　サッカーに対してすごく真面目。練習の初日だったかな、すごく真面目に自主練をしていて、そのイメージが今もまだ。

富居　最初ガンちゃんは静かというか、人見知りなのかなとは思ったけど、慣れちゃえば全然……。

大野　絶対、人見知り。

大岩　ハハハ。

富居　慣れればめちゃ話すけど、慣れるまでは。

大岩　けっこうかかりますね、僕は。

―― 続いて、富居選手と大野選手です。プロになってから対戦はしてないようですね。

富居　そうですね、たぶん。

―― 2018年に大野選手は湘南に復帰、富居選手は湘南に新加入ということで、最初の印象はどんな感じでしたか？

大野　俺が覚えてるのは、練習の初日に「同級生だからよろしくね」って言われたこと。

富居　言ったっけ？　そんなこと（笑）。

大野　言った。馬入でグラウンドに行く時に。

大野　硬い（笑）。

富居　それはなんか恥ずかしくない？（笑）。

大野　そう言われたのは覚えてる。そこで同級生だと思って。

富居　カズの第一印象といえば、見た目がちょっと怖いけど、誰とでもよくしゃべるしすごく優しかった。誰にでも同じ接し方をする。いい意味で。

大野　いい意味で。

―― それでは、プレーについてはお互いどんな印象を持っていますか？　まず大野選手のプレーについて、大岩選手と富居選手からお願いします。

大岩　まずは左利きのセンターバックというだけですごいですよね。少ないですし貴重だと思います。左利きで体の無理が利く選手はあまりいないので、うらやましいです。

富居　人に強いし足がめちゃ速いんですよね。相手のほうが有利かなと思っても、追い付いて取れちゃう。後ろの選手としては、あ、それ届いちゃうんだって感じです。あと、これは二人に言えることなんですけど、やっぱり経験があるから、それまであまり試合に出ていなくても、パッと出た時に何の違和感もなく入れるのがすごいなと思います。

大岩　それはトミも。大野はたぶん誰よりもゴールを狙ってる。

大野　ハハハ。

大岩　ボールを取りに行って、戻ってこないことがある。たぶんチームで誰よりもゴールを狙ってると僕は思ってるけど。

―― 大岩選手は大野選手ほどは狙っていないと。

大岩　僕も狙ってますけど、僕以上です。

大野　狙っとるやん、めっちゃ。

大野和成（おおのかずなり）
1989年8月4日生まれ、新潟県上越市出身。180cm、76kg
FC 高志 ▶ 上越市立春日中学校 ▶ アルビレックス新潟ユース ▶
アルビレックス新潟 ▶ 愛媛 FC ▶ 湘南ベルマーレ ▶
アルビレックス新潟 ▶ 湘南ベルマーレ

うれしそうな顔が見えると僕もうれしい

大岩　僕以上だなって思います（笑）。

富居　なかなか帰ってこない。

大岩　なかなか帰ってこないんで、誰よりもゴールを狙ってるなって。

──大野選手はベルマーレ公式サイトのアンケートで、ストロングポイントは「球際」と答えています。

大岩　いや、強いっす。言うまでもなく強いっす。

──そして、ゴールを狙っていると。

大岩　だいぶ。「だいぶ」って書いておいてください（笑）。

──大野選手、お二人の紹介に補足はありますか？

大野　いや、こう見えてガンちゃんも足が速いし、得点に関して言うと、ガンちゃんが真ん中にいる時は上がってるとすごく怒られます。

大岩　ハハハ。

大野　「カズー！」って言われるんで、そういう時はさすがに戻るようにしています。

冷静沈着でどっしり構えてくれる

──続いて、大岩選手のプレーですごいと感じる点について、富居選手と大野選手からお願いします。

富居　ガンちゃんは身体能力がすごいですね。足が速いし、ヘディングが強い。これはカズもそうですけど、ネガティブなところはない。やっぱり二人とも世代別の代表に入っていただけあって、マイナスなプレーのイメージがないですね。

大野　名前が大岩なんで、ゴール前の「大きな岩」って感じですね。

大岩　ハハハ。

大野　普段こんな感じだけど、試合中はけっこう吠えていて、隠れ闘争心がある。ヘディングの時に「俺や！！！」って言ってる。

大岩　ハハハハハ。

大野　「俺や！！！」って言うんだけど、思いのほか飛んでないことも多い（笑）。

大岩　たまにありますね。

大野　声の大きさほどあまり飛んでない。「あれ？そんなに飛んでないな」っていう時がある（笑）。

──大岩選手、何か補足がありましたら。

大岩　いや、ないです。大丈夫です（笑）。

──それでは、富居選手のプレーですごいと感じているところを、DF陣の大野選手と大岩選手からお願いします。

大岩　相手のシュートを止めてゴールを守ってくれますし、練習でも常に100パーセントでやってます。去年、ガンバ大阪との試合で久しぶりに出て勝った時もすごかった。

大野　トミは冷静沈着で、後ろでどっしり構えてくれて、ピンチでも慌てない。そういうところはホントすごいと思う。

大岩　あと、どっしりしてるようで、意外と試合前は緊張してるよね。

富居　そのとおり（笑）。

──そうなんですね。大野選手と大岩選手は富居選手ほど緊張はしていないのでしょうか。

富居　全然緊張してないです。

大野　緊張してるよ。

大岩　僕も。

大野　始まる前はさすがに緊張するね。始まったら大丈夫だけど。

大岩　僕も。たまに。

──3月27日に行われたルヴァンカップ横浜FC戦で3人そろってフル出場しています。結果は1-0で勝

大岩一貴（おおいわかずき）
1989年8月17日生まれ、愛知県名古屋市出身。182cm、78kg
熱田少年SC ▶ 名古屋FC ▶ 名古屋FCジュニアユース ▶
中京大学附属中京高校 ▶ 中央大学 ▶ ジェフユナイテッド市原・千葉 ▶
ベガルタ仙台 ▶ 湘南ベルマーレ

DF #22
Oiwa Kazuki

GK #23
Tomii Daiki

一日一日を全力で過ごしたい

利、チームにとっては今シーズン2勝目でした。

大岩　すごく怒られました。ハーフタイムに。

──そうだったんですね。監督から。

大岩　はい。

──大岩選手だけですか？

大岩　いや、みんなです。ただ、僕と和成に言っていた感じはしましたけど。

大野　あまりうまくいってなかったんで。

──ただ貴重な勝ち点3を獲得しました。何らかの手応えもつかんだのでは？

大野　内容は悪くても無失点で終えたのは、DFとGKとしては良かったけど、それぐらいですかね。

──どちらかというと反省点のほうが多かったと。

大野　そうですね。

富居　まあでも、試合全体を通して後ろがやられてるシーンもそんなになかったし、僕としてはこの二人がいてくれるとすごく楽というか、やっぱりゴール前で守れるんで。ハーフタイムで言われたのは、全体としてあまりうまくいってなかったから。後ろがやられた感じはそんなになかったかなと思いましたけど。

──それでは最近のコンディションについてはいかがでしょうか。

大野　やっぱり長くサッカーをやってるんで、それなりに小さなケガとかガタはありますけど、その中でもずっとやってきてるんで、まあ問題はないかなと思います。

大岩　僕もそんなに問題なく。

富居　僕も今のところは問題なしですね。

──31歳になり、練習への向き合い方は若い頃と比べて変わってきていますか？

大岩　そんなに気にしないようにしてます。年齢がどうとかっていうのは。考えなきゃいけないことかもしれないですけど。

大野　いまだに自分が31歳ってことが、いまいちしっくりきてないですね。ベテランって言われることにも違和感があるし。そんな感じだから（周りから）ベテランと思われてないんじゃないかな（笑）。

大岩　うん。それはあるね。俺も自分で思わないし。

大野　ナオさん（石原直樹）やウメさん（梅崎司）や（山本）脩斗くんはベテランって感じがする。でも、俺らはまだそうじゃないなって思う。若い選手もそう感じてると思うんで。

──富居選手はどうですか？

富居　若い頃よりは一日一日の練習を無駄にしないようにと思ってます。後悔しないように今日できることをしっかりやろうと。やっぱり30歳を超えて、サッカー選手である期間を考えると、どっちかと言ったら終わりのほうが近いので。しっかり一日一日を過ごそうとは思っています。

子どもたちにもアドバイスができるから

──何歳ぐらいまでプレーを続けたいと考えていますか？

大野　体次第じゃないですか？　あとは必要とされるか。

大岩　やれるならやりたいとは思います。でも、考えなきゃダメですよね。僕はまだそういうことから逃げて考えないようにしています。

富居　昔は30歳までできたらいいなあと。

大野　あ、それ分かる、分かる。

富居　ただ、それをもう超えてるんで、次は35歳までやりたいなっていう目標はあります。

富居大樹（とみいだいき）
1989年8月27日生まれ、埼玉県さいたま市出身。182cm、74kg
浦和木崎サッカースポーツ少年団 ▶ 浦和レッズジュニアユース ▶
武南高校 ▶ 東京国際大学 ▶ ザスパクサツ群馬 ▶
モンテディオ山形 ▶ 湘南ベルマーレ

——ありがとうございます。試合に勝った後、場内を一周する時に、ファン・サポーターの笑顔を見てどんなことを感じますか?

大野 試合に勝って喜んでくれてると俺らもうれしいですね。去年は無観客試合も経験したので、やっぱりお客さんが入って、まだ声援はないですけど、雰囲気や盛り上がりはあらためていいなって。そうやってお客さんの前でプレーができるのは、すごく幸せなことだなと思います。

大岩 まだ入場制限があって、以前よりもお客さんが少ないじゃないですか。ただ、前よりも人が少ないぶん、スタンドにいるお客さんの顔がよく見えるし、すごくうれしそうな顔が見える。たくさんの人が来てくれたらもちろんうれしいですけど、限られた人数でもうれしそうな顔が見えると、僕もうれしく感じます。

富居 触れ合う機会が少ないのは選手としても残念ですけど、試合で結果を残して、ファン・サポーターの皆さんが笑顔になってくれたらいいですね。こういう状況になって、ファン・サポーターの声援がすごく大きかったんだってあらためて感じる機会にもなりました。選手一人ひとりがしっかりプレーしなきゃいけないっていう気持ちでやれてると思う。入場制限がかかって声を出せなくて、練習も見ることはできないですけど、そのぶん選手たちの責任感は増してると思います。普通に応援できるのが一番ですけど、選手たちの力にはなっています。

——ところで、ベルマーレ公式サイトの「今チャレンジしてみたいこと」というアンケートで、大野選手は「富士山登山」と回答していましたね。

大野 富士山に登ってご来光を見たいなと思って。連戦が続いてなかなか行けないですけど、人生で一度は。誰かしら連れて行きたいですね。

——大岩選手や富居選手と一緒に。

大野 全然いいっすよ。

大岩 僕はやめときます。

大野 マジで?

大岩 僕は登りたくないです。

大野 マジで?

大岩 全然登りたいと思わない(笑)。

——富居選手は富士山登山に興味は?

富居 ないです(笑)。

大野 じゃあ、一人で行きます(笑)。

——大岩選手はパソコンにチャレンジしたいと。